Darlun o Ryfel

Beryl Stafford Williams

GOMER

Agraffiad cyntaf—Gorffennaf 1993

ISBN 1 85902 015 1

Dychmygol yw holl gymeriadau'r nofel hon.

Dymuna'r cyhoeddwyr gydnabod cymorth
Adrannau'r Cyngor Llyfrau Cymraeg.

Argraffwyd gan
J.D. Lewis a'i Feibion Cyf., Gwasg Gomer, Llandysul, Dyfed.

PENNOD 1

Roedd Sabel yno wrth gwrs yn aros amdano. Dyma'r tro cyntaf i Roli deithio ar ei ben ei hun mewn awyren a chawsai siwrnai ddifyr o dde Ffrainc. Bu'n lwcus i gael sedd wrth y ffenestr ac wrth edrych ar y cymylau claerwyn oddi tano teimlai ei fod mewn byd disglair newydd. Bron nad edrychai ymlaen at fynd i'r ysgol yng Nghymru. Bu'r bwyd yn hwyl hefyd, pob cwrs yn ei briod le ar yr hambwrdd twt, a'r cyllyll a ffyrc fel teganau, yn ei atgoffa o'i chwiorydd iau yn chwarae-tŷ-bach gartref. Daethai pwl o hiraeth drosto bryd hynny a dechreuodd boeni na fyddai Sabel yno i'w gyfarfod. Ar y cyfle cyntaf, felly, wedi taro'r ddaear, heliodd ei bac a rhuthro i'r blaen gan bwnio ambell deithiwr hamddenol allan o'r ffordd.

Sefyllian am hydoedd wedyn yn y neuadd fawr nes i'w fagiau ymddangos o'r ogof yn y pen draw. Llamodd ymlaen i'w cipio'n ddeheuig fel yr hwylient yn araf heibio i'r llinell o wynebau pryderus. Ofnai y byddai Sabel yn blino aros amdano, er iddo glywed ei nain yn dweud amdani droeon, am ryw reswm, nad oedd hi byth yn rhoi'r gorau iddi. Ac yn awr dacw hi mewn gwyrdd yn gwenu ac yn codi ei llaw arno o'r tu ôl i'r barrau.

'Helô, Roli. Mi wyddwn i mai ti fydda'r cynta allan. Peth braf ydi bod yn ifanc. Ac wedi prifio eto ers i mi dy weld ti ddechra'r ha',' a rhoes ei llaw drwy ei wallt tonnog. Doedd dim gymaint o ots â hynny gan Roli; prin fod neb yn ei adnabod yn Gatwick.

Cyn bo hir roedd y ddau ar y trên yn gwibio tua Llundain.

'Oes arnat ti eisio bwyd yn ofnadwy?'

'Na, newydd gael pryd ar yr awyren, diolch.'

'Ia, ond mae'n siŵr dy fod ti'n barod am un arall erbyn hyn, os ydw i'n cofio'n iawn.'

'Sylwest ti ddim 'mod i wedi colli pwyse? Rwy'n dair ar ddeg nawr, Sabel.'

'Wyt, wrth gwrs, be sy haru mi?' Beth oedd yn bod arni'n wir? Dylai gofio sut deimlad oedd bod yn dair ar ddeg oed oherwydd bu'n ail-fyw'r dyddiau hynny'n arbennig yn ddiweddar. Yn wir, ni theimlai fawr hŷn na hynny'n awr yn ei chalon. A pheth arall, bu Roli a hithau'n dipyn o fêts erioed. Hoffai'r ffaith ei fod yn ei galw'n 'ti'. Dylanwad ei nain oedd hynny.

'Mi rwyt ti'n cael braint fawr, ysti,' meddai mewn tipyn, 'yn cael mynd i'r un ysgol ag y buo dy nain a finna ynddi—ond 'i bod hi'n ysgol i enethod yn unig erstalwm, yntê? Amsar y Rhyfel Byd oedd hi pan oeddwn i d'oed ti.'

'O ie, Sabel? Pa un felly? Y Cyntaf ynteu'r Ail?'

Chwarddodd y ddau, ond teimlai Sabel yn ansicr ohoni ei hun. Hoffai feddwl erioed fod ei hagwedd yn iach tuag at yr ifanc ond dyma hi'n awr wedi sybwbio ei wallt fel pe bai o'n rhyw gi bach, a'i bryfocio am orfwyta. Nerfusrwydd, mae'n debyg. Yn un peth ni wyddai a wnaethai'n iawn i gytuno i roi cartref i Roli yn ystod tymor yr ysgol; tipyn o gyfrifoldeb i hen ferch. Roedd rhywbeth arall ar ei meddwl hefyd, rhywbeth roedd wedi penderfynu ei wneud ar ôl cyrraedd Llundain a chyn dal y trên i ogledd Cymru y noson honno.

'Wyt ti'n edrych ymlaen?' gofynnodd Sabel.

'Edrych ymlaen? At fynd i'r ysgol?' Rhoes Roli ochenaid drom a chodi ei olygon tua'r nen mewn dirmyg dramatig. 'Does ryfedd fod Mam-gu a tithe'n ffrindie. "Mi gei di filoedd o hwyl," medde hi, "fel Sabel a fi erstalwm." Hy!'

Gwenodd Sabel a throes i edrych drwy'r ffenestr. Gwelai fynyddoedd Eryri o flaen ei llygaid yn erbyn cefndir o faestrefi coediog Surrey.

'Wel? Gawsoch chi filoedd o hwyl?' mynnodd Roli gan dorri ar ei myfyrdod.

'Do, a naddo . . . Mi roedd yn hwyl i ddechra, beth bynnag . . . Gefaist ti mo'r hanas? Sut y bu i Geini Iorwerth a Sabel Felix ennill y rhyfal?' gofynnodd dan chwerthin.

Ysgydwodd Roli ei ben.

* * *

Roedd yn haf eithriadol o boeth a phalmentydd Llundain fel pe baent yn crynu yn y gwres. Nid oedd noddfa yn y siopau stwrllyd chwaith i Sabel ond edrychai Roli fel pe bai'r miwsig byddarol yn ei fywiogi drwyddo. Ceisiai Sabel guddio ei hannifyrrwch er bod heli'r chwys a ddiferai i lawr ei thalcen yn llosgi ei llygaid. Gadawsent baciau Roli dan glo yn yr orsaf er mwyn cael teimlo'n rhydd ond erbyn hyn roedd ganddynt lwythi lliwgar o fagiau plastig yn eu dwylo.

'Roli, wnei di ffafr efo fi?' gofynnodd Sabel pan oeddynt yn cael hoe fach mewn caffi. Petrusodd am funud. 'Ddoi di efo fi i'r Oriel Genedlaethol?'

'Mae'n bosib, pe bawn i'n gwybod beth yw e.'

'Adeilad mawr a'i lond o ddarlunia wedi'u paentio gan artistiaid mwya'r byd. Galeri o baentiada.'

'O na! Dim diwylliant, plîs, Sabel! Ar ôl taith hir, rhywbeth ond hynny,' meddai gan roi ei ddwylo gyda'i gilydd a chogio ymbil yn daer.

'Gwranda, 'ngwas i, mi rydw i wedi dŵad efo ti o amgylch y siopa recordia bondigrybwyll 'na heb wneud unrhyw fath o giamocs.'

'Aha, weles i ti'n prynu tâp Glenn Miller; felly doedd e ddim yn wastraff amser i gyd i ti, nac oedd?'

Gwenodd Sabel arno ond difrifolodd bron ar unwaith. 'Yli, tydi Trafalgar Square ddim ond rownd y gornal. Fydda i byth bron yn dŵad i Lundain a . . . a fûm i rioed yn yr Oriel. Ddoi di?'

Roedd Sabel o ddifri; nid ymbil ffug mo hwn. Edrychodd y bachgen arni fel petai'n methu â'i deall.

* * *

Er gwaethaf y gwres rhedodd Sabel o'i flaen i fyny stepiau'r Oriel. Oedodd Roli am ennyd i gael cip ar yr olygfa enwog: cloc mawr y Senedd yn codi ei ben o'r coed deiliog draw, tŵr Nelson ynghanol y Sgwâr o'i flaen a'r llewod du'n gwgu ar y plant lwcus yn ymdrochi yn nŵr gwyrdd y ffynhonnau.

Doedd dim golwg o Sabel. Rhuthrodd Roli at y drws-tro a'i droi'n chwyrn nes gyrru'r dyn o'i flaen o amgylch ddwywaith. Fe'i clywai'n sgyrnygu '*Wretched boy*!' ond rhaid oedd brysio i chwilio am Sabel yn y cyntedd prysur. 'Paid â phoeni,' dywedasai ei fam-gu wrth ei fam pan oeddynt yn ei ddanfon i'r maes awyr, 'mi edrychith Sabel ar 'i ôl o'n iawn i ti.' O ie? meddyliai Roli.

Rhyddhad mawr iddo oedd canfod y wisg werdd ger y mur ar y dde. Astudiai Sabel gynllun o'r stafelloedd, a'i bys yn symud o un blwch lliw i'r llall drwy'r labrinth o orielau bychain.

'Tyrd, gobeithio nad awn ni ddim ar goll,' meddai wrth fynd i fyny eto, fel petai o wedi bod wrth ei chwt ar hyd yr amser. Gwthiodd ddrws gwydr mawr a gadael iddo gau yn wyneb Roli yn ei brys. Roedd wedi anghofio amdano eto.

'Sabel, mae'n oer braf yma,' sibrydodd Roli wrth ddal i fyny â hi, a llwyddodd hynny i'w harafu.

'Wel, yndi wir,' meddai, gan sefyll i syllu o'i chwmpas fel petai Roli wedi dweud rhywbeth ysgytiol. 'Mae 'na bwmp mawr yn mynd yn rhywla, mae'n rhaid.' Edrychai'n od, yn dal ei phen yn gam fel un yn gwrando am sŵn. 'Mae'n bwysig cadw llunia yn y tymheredd iawn neu mi gracith y paent.'

Edrychodd Roli o'i gwmpas i weld a oedd rhywun wedi sylwi arni ond roedd pawb yn astudio'r lluniau, rhai'n eistedd fel delwau ar fainc yng nghanol y llawr, eraill yn camu'n ôl oddi wrth y lluniau gan grychu eu llygaid.

Unwaith yn rhagor diflanasai Sabel a rhedodd Roli i'r stafell nesaf a chael cip arni'n troi i'r dde yn y pen draw. Gwnaeth sŵn ar y llawr pren wrth frysio ar ei hôl a tharfu dipyn ar y ceidwad swrth a eisteddai'n gwarchod y stafell. Nid oedd yn rhaid chwilio'n bell. Canfu Sabel yn sefyll yn stond o flaen clamp o bortread anferth. Mewn perthynas â'r llun ymddangosai fel geneth fach wrth godi ei hwyneb tua'r ceffyl mawreddog a'r marchog urddasol mewn arfwisg ar ei gefn. Symudai ei llygaid dros y cynfas enfawr fel petai'n ei archwilio'n ofalus.

'Siarl y Cyntaf,' meddai, heb gymryd ei threm oddi arno.

'Gollodd e 'i ben, Sabel. Mi wn i gymaint â hynny am hanes.'

'Naddo, ddaru o ddim wedi'r cwbwl.'

Troes at Roli a safai â'i geg ar agor yn barod i ddadlau. 'O,' meddai'n ddryslyd, 'mae'n ddrwg gin i, Roli. Ti sy'n iawn, wrth gwrs.'

Sylwodd Roli fod ceidwad y stafell yn closio o dow i dow.

'Sabel, mae ofn ar hwn dy fod ti am fynd â'r llun adre 'da ti.'

'Brensiach, lle mae o'n meddwl 'mod i'n byw? Castell Penrhyn?'

Y funud nesaf cafodd Roli fraw o'i gweld yn mynd at y dyn fel petai am anelu'r cwestiwn ato yn uniongyrchol. Roedd pobl mewn oed yn rhai da am godi cywilydd ar rywun mewn llefydd cyhoeddus. Na, rhaid mai gofyn y ffordd i rywle a wnâi. Meddyliodd am funud iddo glywed yr enw 'Sainsbury'. Oedd hi wedi penderfynu rhoi'r gorau i'r Oriel a mynd i siopa? Na, doedd bosib; roedd y ceidwad wedi dadblethu ei freichiau i'w chyfarwyddo'n glir at bellafoedd yr adeilad, bron fel petai'n falch o gael gwared ohoni.

Ar y cyfan, bu Roli'n edrych ymlaen at fynd i aros gyda Sabel oherwydd roedd bob amser yn hwyl bod yn ei chwmni pan ddeuai i Ffrainc atynt ar ei gwyliau ond dyma olwg hollol newydd arni.

Ymlaen â hi'n awr allan o'r stafell a'i llygaid yn pefrio. Dadebrodd ceidwad arall wrth iddi fynd heibio iddo yn lled-redeg ar flaenau ei thraed. Cymerodd Roli arno ymgolli mewn darlun gan roi ei law ar ei ên fel arbenigwr, a'i amrantau ar hanner cau. Gobeithio na feddyliai neb ei fod gyda'r ddynes wyllt yna.

Yna fe'i dilynodd o hirbell fel ditectif nes iddi ddiflannu ar hyd rhodfa o fwâu a cholofnau a ymddangosai'n ddi-ben-draw. Ar y chwith roedd grisiau llydain yn arwain i lawr at fynedfa arall a thrwy ffenestri hirion gwelai Roli fysiau coch deulawr yn mynd heibio fe pe baent mewn byd arall. Ar fur y grisiau roedd yr enwau 'Raphael' a 'Leonardo' wedi eu cerfio mewn llythrennau bras a gwenodd cyn brysio ymlaen. Tybiodd iddo weld Sabel yn troi i'r chwith oddi ar y rhodfa, a gwibiodd i mewn ac allan ar ei hôl drwy'r don newydd o ymwelwyr a ddaethai i fyny'r grisiau. Dal ati i'w chanlyn drwy gyfres o stafelloedd yn ymagor o un i'r llall, bob un yn disgleirio gan wychder euraid y fframiau cywrain ar y waliau. Ger agoriad y bedwaredd stafell safai Sabel.

'O, Roli, dyna ti. Dyma'r stafell. Paid â 'ngadael i. Dydw i ddim yn meddwl y gallwn i fynd i mewn hebddat ti.'

Edrychodd Roli o'i gwmpas eto. Na, ni chymerai neb sylw ohonynt ac i mewn â hwy. Seriodd Sabel ei llygaid ar lun, cymedrol ei faint y tro hwn, ar y mur gyferbyn. Paentiad o ddyn a dynes yn sefyll mewn stafell fel pe baent yn cael tynnu eu llun, a'u cefnau a'r celfi o'u cwmpas wedi eu hadlewyrchu mewn drych ar y wal y tu ôl iddynt.

'O, diolch i'r drefn!' meddai gyda rhyw ollyngdod mawr.

Aeth mor agos ag y gallai at y llun gan syllu ar bob cwr ohono. Doedd pobl ddim yn gwneud hyn, meddyliai Roli mewn gwewyr. Mae eisiau sefyll yn ôl i edrych ar ddarlun. Dyna a wnâi pawb arall. Doedd dim rhaid iddi ddangos ei hanwybodaeth i'r byd. Eto nid oedd yn anwybodus chwaith, yn enwedig o ystyried na fu yn y lle o'r blaen; gwyddai o'r gorau am beth i chwilio.

Y tu ôl iddynt siaradai gŵr yn hyderus uchel â'i gydymaith: *'One of the treasures of the National Gallery. Worth millions, the* Arnolfini Marriage.'

Roedd yn amlwg fod Sabel fel pawb arall wedi ei glywed a daethai rhyw olwg wahanol arni'n awr. Cilwenai'n hunanfodlon a balch. Hawyr bach, aethai o un eithaf i'r llall, meddyliai Roli.

'Priodas yw'r llun?' holodd, er mwyn ceisio dod â hi'n ôl at ei choed.

'Mae'n debyg.'

'Wedi gadael pethe braidd yn hwyr, ddwedwn i.'

'Ydi, ella fod y dyn yn edrych fel pe bai o'n tynnu 'mlaen dipyn. Am fod yr het yn cuddio'i wallt o, debyg.'

'Nid dyna oeddwn i'n feddwl. Ar y fenyw oeddwn i'n disgwyl, a *disgwyl* yw'r gair!'

'O,' a chwarddodd Sabel. 'Nid y ti ydi'r cynta i feddwl 'i bod hi yn y cyflwr yna, ond steil 'i ffrog hi sy'n cyfri am hynny. Mae'n dal y sgert gwmpasog i fyny yn 'i llaw, ti'n gweld. Mae gan yr un artist lun o santes mewn gwisg debyg, a go brin y bydda santes yn disgwyl babi.'

Cododd Roli ei ysgwyddau fel Ffrancwr.

'Y ci yw'r peth perta yn y llun,' meddai. 'Mae e'n disgwyl yn ddireidus, ond châi e ddim llawer o hwyl gyda'r ddau 'na.'

'O, dwyt ti ddim yn licio'r llun?' ac am funud meddyliai Roli fod ei llygaid yn dyfrio. 'Mae 'na dipyn o hanes i hwn . . . Unwaith . . .'

'Unwaith beth?'

'Unwaith . . .' Yna ychwanegodd yn sydyn dan chwerthin, 'Unwaith, yn ôl yn y ddeunawfed ganrif, mi fu ar y wal yn nhoiled Brenin Sbaen!'

'Wel, y tŷ bach yw'r lle gore iddo fe, hefyd.'

'O, Roli!'

Edrychodd Sabel ar yr amser. 'Mae'n bryd i ni fynd. Tyrd, mi awn ni am sglodion Casey Jones yn stesion Euston.'

'Beth? A minne heb weld gwaith Donatello?'

Troes Sabel ato'n syn.

'Roli, a titha'n smalio na wyddat ti ddim byd am y lle 'ma!'

'Heb sôn am Leonardo a Michelangelo a Raphael.'

Daliai Sabel i edrych yn hurt arno.

'*Cowabunga dudes. Mutant Hero Turtles*, Sabel! O, na hidia. Tyrd, awn ni am *chips* gan mai dyna wyt ti'n moyn.'

* * *

'Ar y bws y bydda i'n mynd i'r ysgol, Sabel?' gofynnodd Roli pan oeddynt ar y ffordd i Benmarian ar y trên.

'Ia, mi gei di gwmni'r hogyn drws nesa—ar y dechra, beth bynnag. Mae o dipyn yn hŷn na ti. Ar y trên fydda Geini a fi'n mynd, a cherdded ym mhob tywydd o'r stesion i fyny'r allt at yr ysgol, ond wrth gwrs, tydi plant heddiw ddim yn gorfod rhoi un droed o flaen y llall. Mi gei di dy gario bob cam at y drws.'

'A! Dyw pethe ddim fel y buon nhw,' meddai Roli gan ysgwyd ei ben. '*Quel dommage*!'

Gwenodd Sabel yn ddiog. Daethai ysfa i gau ei llygaid drosti ond go brin y câi lonydd i bendwmpian gan fod cymaint o fynd a dod swnllyd i fyny ac i lawr y rhodfa ganol. Doedd hyd yn oed y trenau ddim fel y buon nhw! Crwydrodd ei meddwl yn ôl at y trên ysgol erstalwm pan oedd chwech neu saith o 'eneidiau hoff cytûn' yn gallu cau'r drws yn glep ar yr elfennau llai cydnaws a gerddai'r coridorau.

'Gobeithio y bydd fy Nghymraeg i'n ddigon da iddyn nhw,' meddai Roli yn y man. 'Ysgol Gymraeg yw hi, ondyfe?'

'Yn hen ddigon da, 'ngwas i, mi gei di weld. Mymryn o herian am yr acen, mae'n siŵr, ond mi fedri di swancio yn y gwersi Ffrangeg.'

Druan ag o, meddyliai Sabel; mae'r hogyn yn anesmwyth. A pha ryfedd? Wedi gadael cartref ac ar fin wynebu ysgol newydd, a hithau wedi bod fel gafr ar daranau drwy'r pnawn yn lle bod yn groesawus ac yn gefn iddo. Ond roedd hi wedi medru cyflawni rhywbeth a fu ar ei meddwl ers blynyddoedd. Roedd drosodd yn awr ac fe wnâi iawn am ei hymddygiad hunanol. Edrychai ymlaen at ddangos Penmarian i Roli a dinas Llanadda lle'r âi i'r ysgol. Gwyddai y cenfigennai ei ffrind, Geini, wrthi ei bod am gael crwydro'u hen gynefin gyda Roli. Priodasai Geini'n ifanc a mynd i fyw i dde Cymru, lle bu'n hapus iawn ond nid oedd unman fel Penmarian. Yn awr, yn wraig weddw, roedd yn byw yn Ffrainc er pan symudodd ei merch a'i gŵr yno dair blynedd ynghynt.

'Mi wnest ti beth call yn dŵad yma, Geini,' meddai Sabel pan oeddynt ill dwy yn mwynhau heulwen Ffrainc un prynhawn ddechrau'r haf hwnnw.

'Do, mae yn braf yma, ond mynd yn ôl i Gymru wnawn ni i gyd ryw ddiwrnod ac yn y cyfamser yr unig beth sy'n 'y mhoeni i ydi Cymraeg Roli.'

'Ond mae o'n ardderchog!'

'Ydi, hyd yma, yntê? Ond yn fwy na hynny, mae'i fam a'i dad o eisio iddo fo gael y cefndir. Wyt ti'n cofio'r hen Miss Parry Welsh? Doeddat ti a hitha ddim yn cyd-dynnu'n dda ar un adag ond, daear, mi gawson ni growndin da ganddi hi.'

Ac o'r sgwrs honno y tyfodd y syniad o anfon Roli i Gymru at Sabel.

* * *

Roedd yn dechrau nosi a dim llawer i'w weld drwy ffenestr y trên.

'Dwed dipyn o hanes Geini a Sabel yn yr ysgol,' meddai Roli a oedd wedi disbyddu'r cylchgrawn a brynodd.

'Ryw dro eto, Roli,' a thynnodd Sabel ei hesgidiau a hanner gorwedd ar y sedd.

'Pam oedd y bobl *boring* 'na yn y llun wedi tynnu'u sgidie?' Rhoesai ei fam waharddiad ar y gair *boring* ond penderfynodd ei fentro'n awr. Waeth iddo gael mantais o fod oddi cartref.

'Fel arwydd 'u bod nhw'n sefyll ar dir cysegredig, medda'r gwybodusion, er mai mewn tŷ maen nhw. Rhywbath symbol-aidd ydi o fel llawar o betha yn y llun i gyfleu 'i fod o'n achlysur sanctaidd.'

'O. Meddwl oeddwn i fod y wraig wedi dechre rhoi 'i throed i lawr yn barod ynglŷn â sarnu llawr y parlwr.'

'Gobeithio nag wyt ti ddim am fod yn rhyw Idris o hogyn,' atebodd Sabel yn gellweirus.

'Pwy?'

'Pan oedd Geini a finna yn y Cownti Scŵl erstalwm mi ddaru ni ddysgu darn o farddoniaeth efo Miss Parry Welsh am rywun yn dŵad ar draws lle bach tlws yn y coed ac yn dychmygu gweld pob math o ryfeddoda yno, ac mi ddeudodd wrth ei ffrind, Idris, amdano fo ond mae'n rhaid fod hwnnw'n fachgen go *boring* achos welai o ddim byd yno ond coed. Trist, yntê?'

Cododd Roli ei aeliau a'i ysgwyddau'n ddidaro. Ailgydiodd yn ei gylchgrawn ond cyn pen dim roedd wedi syrthio i gysgu.

* * *

'Roli, dyma ni! Wedi cyrraedd Penmarian.'

Roedd ei gylchgrawn wedi llithro oddi ar ei lin ac wrth iddo'i godi disgynnodd cerdyn post o'i dudalennau. Gwridodd Roli. Gwelodd Sabel mai print o'r pâr efo'r ci ydoedd. Mae'n rhaid ei fod wedi ei brynu yn siop yr Oriel.

Efallai y dywedai ei stori wrtho wedi'r cyfan.

PENNOD 2

'Hei,' sibrydodd Geini wrth Sabel ar y trên ysgol un bore, 'mae Babs yn gofyn ddown ni i fyny'r mynydd dydd Sadwrn nesa. Mynd â brechdana efo ni a galw yn Glanrhyd amdani hi a Sam.'

Sgwrsient yn ddistaw am fod teithiwr anffodus wedi meiddio dod i mewn atynt. Ni ddefnyddiai llawer o bobl mewn oed y trên ysgol ac ni chaent groeso pan wnaent. Wrth agosáu at orsaf rhoid y bleindiau i lawr a cheisid gwneud i'r cerbyd edrych yn llawn ac âi ambell un mwy haerllug na'i gilydd mor bell â dyfynnu'r posteri yn ddigon hyglyw: *Is your journey really necessary*? Ond weithiau ni thyciai dim i rwystro'r ymyrrwr rhag dod i mewn a difetha'r hwyl. Pan ddigwyddai hynny teimlid nad oedd yn weddus parhau gyda'r sŵn arferol ac anfonid negeseuau bach o un i'r llall.

'A tyrd â *torch* efo ti, medda Sam,' ychwanegodd Geini.

Swniai fel petai gan frawd mawr Babs dipyn o antur mewn golwg.

'Awn ni?'

Nodiodd Sabel ei phen. Y sôn am Lanrhyd a'i denai fwyaf. 'Mi ydw i wedi bod bron â marw eisio gweld y tu ôl i'r giatia mawr 'na.'

Buont flwyddyn gron yn yr ysgol uwchradd erbyn hyn a'r Sadwrn nesaf byddai'r gwyliau hir yn dechrau. Eisoes edrychai Geini a Sabel ymlaen at gael ymddangos yn hen stejars pan ddringai criw newydd i'r trên y mis Medi canlynol. Prin y gallai Sabel goelio ei bod wedi cario masg nwy ar ei hysgwydd ar ei diwrnod cyntaf ac wedi teimlo'n dipyn o swel yn ei gludo yn ei orchudd coch o batrwm croen crocodil. Ymhen amser daeth yn hen niwsans, yn taro'n erbyn ei chlun wrth iddi frysio i ddal i fyny efo'i ffrindiau hirgoes ar allt yr ysgol ac roedd yn rhyddhad iddi pan anghofiodd pawb amdanynt.

Ni ddigwyddodd y bomio disgwyliedig a chawsai flwyddyn o ddifyrrwch pur. Yr hwyl ar y trên i ddechrau. Pawb yn sgrialu i orffen eu gwaith cartref wrth nesáu at dywyllwch y twnnel cyntaf cyn gorsaf Llanadda a mwy o gynnwrf byth ger yr ail. Sgrechfeydd o 'Ail dwnnel! Ail dwnnel!' yn adleisio i lawr y trên oherwydd diwedd hwnnw oedd pen y daith. Yna'r ysgol newydd sbon ar ben y bryn a'i lloriau pren golau'n disgleirio draw i'r pen pellaf. Doedd wiw eu baeddu; roedd yn rhaid tynnu'u hesgidiau cerdded ar ôl cyrraedd ac ar y diwrnod cyntaf, wrth newid, prin y gallai Sabel gau botwm ei hesgidiau tŷ gan y cynnwrf hapus.

Gwyddai fod rhywbeth i'w ofni, er hynny, neu ni fuasai ei mam wedi crio wrth wrando ar Mr Chamberlain. Bythefnos cyn i'r ysgol ddechrau oedd hynny. Safodd y teulu bach yn stond i wrando ar lais blinderus-fonheddig y Prif Weinidog yn dod o'r weiarles yng nghornel y gegin.

'A dim ond ugain mlynedd, waeth i chi ddeud, ers y rhyfel dwytha,' meddai Mrs Felix.

Ugain mlynedd! meddyliodd Sabel. Iddi hi waeth i'w mam fod yn siarad am y dilyw a chyn hynny.

A ph'run bynnag, er nad oedd wedi cyfaddef hynny hyd yn oed wrthi'i hun, teimlai rywsut fod y rhyfel yn hwyl. Roedd wedi mwynhau trin ei hances boced o ardd yn y cae o flaen yr ysgol. Câi'r dosbarth siarad faint a fynnid yno tu ôl i'r wal o olwg ffenestr y Brifathrawes, ac nid garddio cyffredin mohono chwaith ond *Digging for Victory*. Buont hefyd yn cyfrannu tuag at yr ymdrech genedlaethol drwy golli gwersi i fynd i hel egroes. A'r rhyfeddod arall oedd yr ifaciwis. Nid rhai o'r heidiau o blant bach pryderus y gwelwyd lluniau ohonynt yn y pictiwrs oedd y rhain, efo'u labeli a'u parseli, ond plant a ddaethai gyda'u rhieni proffesiynol pan symudwyd rhai adrannau gwladol i ddiogelwch gogledd Cymru. Un o'r rhain oedd Babs Elton, bellach yn aelod o gwmni dethol y trên, ei thad yn bennaeth y gwasanaeth sifil a gymerodd feddiant o'r Majestic Hotel ym Mhenmarian. Daethai teuluoedd o'r fath â bywyd newydd i rai o fân blasdai'r ardal.

Edrychai Sabel ymlaen felly at fynd i Lanrhyd. Bu Mossbank Road yn lle estron iddi erioed. Weithiau âi hi a'i ffrindiau ar ei hyd ar eu ffordd i hel llus ar y mynydd ond nid adwaenent neb yno. Roedd mewn rhan ddeiliog, ddistaw o'r dref fechan, ar allt dyner y tu ôl i brysurdeb y Stryd Fawr ac o olwg hagr y chwarel. Trigai Sabel ym mans Bryn Glas yn y pen arall i Benmarian, un o res o dai uwchben y môr, a Geini mewn rhes o dai chwarel i fyny'r allt oddi wrthi. Yn eu rhan foel hwy o'r dref roedd pawb yn adnabod ei gilydd, yn hel sgwrs dros y wal, ac yn cael eu neges i gyd o'r Co-op. Ond roedd Mossbank Road yn wahanol. Yno safai'r tai ar wahân, y tu ôl i furiau uchel a choed ac ni ellid eu gweld o'r giatiau oherwydd eu bod y tu hwnt i'r tro yn y dreif. Y drws nesaf i Lanrhyd roedd Sefton Villa. Dywedid bod gwallgofddyn yn byw yno unwaith ond edwinai'r tŷ gan wacter ers rhai blynyddoedd bellach. Bu'r tai hyn yn ddirgelwch rhamantus, iasol i Sabel erioed.

Curai ei chalon pan wthiodd y giât fawr wrth alw am Babs y bore Sadwrn canlynol. Rhedodd Geini a hithau at y tro yn y dreif i gael eu golwg gyntaf ar Lanrhyd. Ond nid oedd dim byd iasol ynddo ar fore o haf. Tŷ cerrig, cartrefol braf ydoedd a gardd o berthi o'i amgylch. Lle iawn i chwarae cuddiad, meddyliai Sabel.

Bu Babs yn disgwyl amdanynt a daeth allan i'w cyfarfod. Aeth â hwy o amgylch yr ardd ac wrth fynd heibio i ffenestr y parlwr gwelent Mrs Elton yn canu piano crand, gwastad fel bwrdd. Roedd wedi ymgolli yn y gerddoriaeth ac ni chydnabu bresenoldeb y plant.

'Welist ti hynna?' gofynnodd Geini pan oedd Babs wedi rhedeg o'u blaenau i agor hen ddrws yn y wal rhyngddynt a'r drws nesaf. 'Mam yn chwarae piano yn y bora yn lle bod wrthi'n llnau'r brasys!'

Dalient i biffian chwerthin tra bustachai Babs efo'r drws styfnig. Dotiodd Sabel at ei siâp bwaog ond roedd y paent gwyrdd wedi crino a'r bollt yn rhydlyd. Medrodd Babs ei dynnu, fodd bynnag, ac agorodd y drws yn herciog.

O'u blaenau gwelid Sefton Villa o dan gysgod coed ffawydd a masarn a dyfai o boptu iddo. Ymestynnai lawnt agored at y lôn a llwyni ar un ochr iddi yn dilyn ymyl y dreif. Safai'r genethod gyferbyn â'r drws ffrynt a osodwyd yn nhalcen y tŷ. Ar y chwith i'r drws hwnnw roedd gwrych trwchus bytholwyrdd a guddiai'r cefnydd, mae'n debyg, o olwg unrhyw ymwelwyr a gurai yno. Ond go brin y deuai neb byth, meddyliai Sabel, ac eto edrychai'r rhiniog yn lân.

Fel pe bai'n darllen ei meddwl esboniodd Babs fod ganddynt gymydog newydd, er nad oedd yn fawr o gwmni iddynt chwaith. Dyn ifanc, tawedog oedd o ac ni wyddai hi'n iawn beth oedd ei waith ond ei fod yn mynd ar y bws i Lanadda ambell dro. Fe'i gwelsai'n gadael y tŷ y bore hwnnw.

Clywsant lais Sam yn galw arnynt i ddod a rhedodd Babs i'r tŷ i nôl ei phac. Roedd Sam ddwy neu dair blynedd yn hŷn na Babs ac âi i ysgol y bechgyn yn Llanadda. Polly oedd yr hynaf o'r teulu ond trigai hi mewn byd arall, yn mynd i'w gwaith yn ystod y dydd ac yn canlyn yn glòs gyda'r nos efo Cwil, bachgen o gapel y Parchedig Felix.

'Mi fasa'n well gin i fynd heb Sam,' meddai Geini. 'Mae o'n siŵr o neud i ni gerddad yn bell.'

Cytunodd Sabel. Roedd Sam yn heiciwr talog a braidd yn drystiog hefyd, yn ei thyb hi.

* * *

Cyn hir roeddynt rhwng cloddiau'r allt gul a arweiniai tua'r bryniau. Pefriai'r môr y tu ôl iddynt, a thrwy giatiau'r ffermydd caent gip ar gaeau irlas. Cyrraedd llidiart y mynydd a throi am y gwddw serth rhwng y moelydd, y borfa'n fyr a llithrig dan draed a'u gwadnau'n gwichian wrth sglefrio a dringo'r un pryd. Ymlwybro fel hyn i'r brig ac yna dilyn y lôn heibio i'r Ffarm Goch ar y dde. Roedd yma goed yn gysgod rhag y gwres a chip ar do'r ffermdy drwyddynt er nad oedd yr un creadur byw i'w weld yn unman nes dod at feysydd agored yr ebolion mynydd. Erbyn hyn, ger y Meini Hirion, daethent i olwg y môr unwaith eto: esgus iawn i gael saib i edrych ar y bae braf i'r gogledd a llethrau chwarel Penmarian bron yn y dŵr, ac i'r cyfeiriad arall, tua'r de, eangderau anial Eryri.

'*Ah, there's the abandoned slate quarry*,' cyhoeddodd Sam gan bwyntio at fynydd creithiog.

Edrychodd Sabel a Geini ar ei gilydd. Pennaf orchest y ddwy hyd yma yn eu bywyd fu crwydro ling-di-long yn nhymor y llus cyn belled â Chylch y Derwyddon, fel y galwent hwy'r Meini, ond yng nghynllun uchelgeisiol Sam dim ond egwyl i ginio a gaent ger y rheini cyn cyrchu ymlaen. Drwy ryfedd reddf aethant ryw ganllath heibio i'r cylch hynafol i fwyta, fel pe bai gormod o flas y cynfyd arno iddo orfod dygymod â brechdanau Spam. Cododd Sabel gornel un ohonynt i weld sut hwyl a gawsai ei mam ar grafu'r margarin oddi ar y bara. Rhyfedd meddwl bod rhyfel yn mynd ymlaen yn rhywle. Ond doedd dim byd wedi newid yma. Roedd y Meini yno o hyd, a'r dail llus a'r grug yn cosi ei fferau fel ag erioed.

Sam oedd y cyntaf i gyrraedd y chwarel. Hen ddringfa gas oedd hi at y diwedd. Roeddynt erbyn hynny wedi ymuno â'r darn olaf o'r ffordd wael a ddeuai i fyny at y chwarel o Drelech, tref a swatiai o'r golwg yn y dyffryn y tu draw i'r mynydd. Wrth i'r genethod nesáu gwelent Sam yn gwyro yng ngheg y fynedfa i'r chwarel, yn cogio crynu yn yr hanner tywyllwch ac yn ubain fel ellyll er mwyn codi ofn arnynt.

'Gwranda arno fo!' meddai Geini'n ddiamynedd.

Diolchai Sabel ei bod wedi cofio'i fflachlamp. Bu tipyn o chwilio amdani oherwydd ni bu defnyddio arni er pan drowyd y clociau ymlaen ddwy awr i Amser Haf Dwbl. Yn y gaeaf bu yn ei phoced yn barhaus er gwaethaf rheolau'r blacowt. O dipyn i beth roedd pawb wedi mynd yn esgeulus braidd, a phan ddaeth ei hewythr o Lundain i aros am ychydig synnodd ei weld yn disgyn o'r trên gyda'i het dun yn ei law a'i fasg nwy dros ei ysgwydd.

Roedd ceg y chwarel fel ogof ac, erbyn gweld, roedd yn rhaid i Sam blygu'i ben oherwydd ei fod mor dal; nid ffwlbri oedd y cyfan. Gallai Sabel sefyll yn syth yn y twnnel ond roedd Geini a Babs yn gorfod bod yn ofalus wrth fynd ar ei hyd rhag taro eu pennau yn y to. Ychydig o lathenni o'r fynedfa roedd y twnnel yn troi i'r dde. Efallai pe baent wedi gallu gweld ei hyd o'r cychwyn cyntaf na fyddent wedi mentro mynd ymlaen ond mae troadau yn twyllo ac yn denu. Diflannodd Sam o'r golwg yn y tro a'i olau llachar gydag ef. Doedd Sabel ddim wedi goleuo'i fflachlamp hi eto a throdd ei throed yn y gwyll wrth frysio i ddal i fyny. Roedd wedi baglu dros hen gledrau haearn a rhoes ei llaw allan at y wal i sadio'i hun. Teimlai'n sâl efo'r boen ac roedd oerfel llaith, llithrig y graig hefyd yn codi cyfog arni. Herciodd yn ei blaen i gael cwmni'r lleill ond cyn cymryd y tro edrychodd yn ôl am funud ar yr awyr las a chopaon y mynyddoedd. Fflachiodd darlun o'i mam o flaen ei llygaid, wrthi'n plicio'r tatws a'r moron at y Sul. Clywai leisiau'r lleill yn galw arni, yn diasbedain o'r tywyllwch, a throdd ei chefn ar olau dydd. Tarodd ei fflachlamp ymlaen er mwyn cael osgoi'r pyllau dŵr. Daliai'r golau yn un llaw a braidd-gyffwrdd y wal bob yn hyn a hyn gyda'r llall. Weithiau pan rôi ei llaw allan doedd dim byd yno. Yn amlwg roedd labrinth o dwnelau ac ogofâu yn agor allan o'r canol. Beth pe baent yn mynd ar goll am byth fel plant Hamelin?

'Aw!' griddfannodd Geini. Roedd wedi taro'i phen yn y to ac arhosodd am Sabel gan rwbio'i chorun.

Gwelent olau fflachlamp gref ymhell o'u blaenau a chorff Sam yn crymu fel pe bai'n dal y to ar ei gefn. Daeth Sabel i sylweddoli ei bod o dan y mynydd yng nghrombil y ddaear a dechreuodd deimlo bod y lle'n gwasgu arni. Roedd ar fin troi'n ôl pan ddaeth gwaedd fawr o'r pellter.

'*Wow!*'

Sam, wrth gwrs, a rhedodd y merched ymlaen orau y gallent. Fe'i gwelent yn chwifio 'i olau o un ochr i'r llall ac i fyny ac i lawr bob yn ail.

'*It's like a cathedral!*' meddai.

Roedd y twnnel wedi arwain at ogof anferth. Dim rhyfedd fod Sam wedi gweiddi. Cerddasant ymlaen yn araf gan ddal eu pennau'n ôl ac edrych i fyny i'r gofod mawr uwchben ac oddi amgylch. Ymwybod â'r ehangder a wnaent yn hytrach na'i weld. Ni wnâi'r lampau fwy na rhoi rhyw amgyffred o fawredd y lle. Rhoes Sam floedd i'r entrychion ac aeth ei lais ar goll yn y gwagle. Ni roes ailgynnig arni; roedd unwaith yn ddigon i herio gwacter fel hwn.

Crynodd Sabel. Roedd yr aer oer yn gafael amdani a dechreuodd droi'n ôl yn slei at y twnnel. Sylwodd fod y lleill yn graddol wneud yr un peth ac yn sydyn, fel un, dyma redeg nerth eu traed ar hyd y twnnel gan faglu drachefn ar y cledrau a chamu i mewn i'r pyllau iasoer nes bod y mwd tenau'n tasgu i bobman. Hyd yn oed pan ddaethant allan i'r awyr agored daliasant i lithro i lawr y mynydd a'u breichiau ar led gan lamu dros y pantiau caregog yn y ffordd drychinebus ei chyflwr a fu unwaith yn rhan o chwarel lewyrchus.

* * *

'Wel, wedi colli dy wynt?' gofynnodd ei mam pan gyrhaeddodd Sabel adref. 'Lle buoch chi'r holl oria 'ma? Ac wedi stompio dy sana glân.'

'Sam Elton aeth â ni am dro'n bellach nag oeddan ni wedi'i feddwl ar y mynydd.'

'Mi fyddai'n well o lawar i chi chwara ar lan môr y tywydd yma.'

Tueddent i fwyta swper wrth wrando ar y newyddion naw ar y weiarles a gobeithiai Sabel y câi osgoi rhoi chwaneg o fanylion gan fod pethau pwysicach i wrando arnynt. Roedd yn amlwg nad oedd ei rhieni wedi bod yn poeni amdani. Diolch i hirddydd haf y rhyfel am hynny, mae'n debyg.

* * *

'Wyt ti'n dŵad i ddrochi?' gofynnodd Geini drannoeth.

Aeth ton o ryddhad drwy galon Sabel. Ar lan y môr y teimlai fwyaf cartrefol a diogel, a waeth iddi blesio'i mam yr un pryd. Nid oedd wedi mwynhau'r twnnel tywyll ddoe er na chymerai'r byd am gyfaddef hynny wrth y lleill.

Roedd yn haf crasboeth wedi gaeaf dychrynllyd o oer, ac ar lan y môr y buont am y rhan fwyaf o'r gwyliau. Doedd dim prinder difyrrwch: llyfu hufen iâ yn y caffi crwn ger y maes bowlio; nofio yn y môr at y tŵr plymio pan oedd y llanw i mewn; torheulo ar ben to hir, gwastad y *chalets* bach del gwyrdd a gwyn. Er mai cabanau haf oedd y rhain, fe'u hadeiladwyd i bara, ac arweiniai grisiau solat at y to a ymestynnai fel rhodfa uwchben y rhes. Oddi yno gellid sbecian i lawr dros y ganllaw ar yr ymwelwyr blynyddol yn hwylio'u te amheuthun ar y lawnt o flaen y teios. Ambell dro crwydrai'r ddwy draw dros y glaswellt i ddal pen rheswm efo Jethro, a huriai allan gychod rhwyfo. Roeddynt ar ben eu digon ac ni theimlent ormod o reidrwydd i ymuno yn y llu o gystadlaethau a gynhelid i gymell y trigolion i dreulio'u gwyliau gartref. Ond nid *Holidays at Home*, fel y pwysai'r hysbysebion, oedd hi i Babs a Sam. Diflanasant at deulu yng nghefn gwlad Lloegr ac ni welwyd mohonynt nes agorodd yr ysgol unwaith eto.

* * *

Wrth aros am y trên ar ddiwrnod cyntaf y tymor ym mis Medi synnodd Sabel glywed Sam yn dweud bod arno flys mynd i'r hen chwarel y Sadwrn canlynol. Ni feddyliodd y byddai'n sôn am fynd yr eildro oherwydd roedd wedi amau iddo yntau deimlo arswyd y lle y diwrnod hwnnw; bu'n anarferol o ddistaw ar hyd y ffordd adref. Ond efallai ei fod yn awyddus i roi ailgyfle iddo'i hun. Teimlasai Sabel hithau ar brydiau yn ystod y gwyliau fod arni eisiau rhoi prawf pellach ar ei dewrder. Gyda threigl amser hefyd lleihaodd yr ofn a chynyddodd y dynfa. Wedi'r cyfan bu'n ddiwrnod o antur ac nid oedd yr atgof o'r ias yn amhleserus.

'Disgwyliaf o'r mynyddoedd draw,' canai'r genethod yn y neuadd y bore hwnnw. Oherwydd yr olygfa o fynyddoedd Eryri o'r ffenestri dyna oedd emyn yr ysgol ac fe'i cenid ar ddechrau pob tymor.

''Dan ni am fynd dydd Sadwrn, Sab?' canai Geini.

'Dwn i'm be ddeudith Mami,' canodd Sabel yn ôl.

'Fy nhroed i lithro ef nis gad,' canai'r ysgol ar ddechrau'r ail bennill ac wrth ymuno â hwy ni allai Sabel lai na theimlo hyder newydd. Aeth cyn belled â dehongli bod yn y geiriau neges iddi hi i roi ailgynnig arni. Ac felly y bu.

* * *

'Paid â dŵad adra'n fwd i gyd,' gwaeddodd ei mam ar ei hôl. Ond nid oedd angen y rhybudd oherwydd pan gyrhaeddwyd ffordd serth y chwarel cawsant syndod. Roedd wedi ei thrwsio. Mwy na hynny roedd yn awr yn addas i drafnidiaeth ac yn wir roedd ôl teiars arni.

Y tro hwn roedd Penri, brawd mawr Geini, yn y cwmni ar gais Mrs Iorwerth. Ni bu fawr o waith perswadio arno i warchod ei chwaer oherwydd teimlai ryw gywreinrwydd ar ôl clywed yr hanes ganddi am y tro o'r blaen. Rhedai'r ddau fachgen a Babs yn awr i fyny'r rhiw newydd, a Geini a Sabel yn tuchan ar eu holau.

'Tyrd. Maen nhw wedi dechra mynd i mewn i'r twnnal,' meddai Sabel.

'Lefal ydi o, ysti, dim twnnal. Fuo 'nhaid yn gweithio 'ma erstalwm a fo ddeudodd wrtha i. Mae hanner Lerpwl wedi cael 'u toea o fan'ma, medda fo.'

Cenfigennai Sabel wrth Geini am iddi allu dweud mwy o'r hanes wrth ei theulu nag a wnaethai hi. Tybiai ei bod yn haws cael mwy o blwc i ddweud pethau pan oedd brawd gennych i gymryd eich ochr pe bai angen.

'Ew, be sy wedi digwydd i mi?' gofynnodd Geini, wedi cyrraedd y lefel. 'Ydw i wedi tyfu at i lawr ne rwbath?'

'Sh!' meddai Penri a oedd wedi troi'n ôl o'r twnnel. 'Peidiwch â chadw gymint o reiat, chi'ch dwy. Be sy?'

'Wel, fasat titha'n swnllyd hefyd,' sibrydodd Geini, 'tasat ti'n ffeindio dy fod ti wedi shrincio.'

Gwenodd Penri.

'Dydi 'mhen i ddim yn agos at y to y tro yma. Ond fasat ti ddim yn dallt, siŵr. Doeddat ti ddim efo ni'r tro dwytha.'

'Yndw, dwi'n dallt. Mi ddaru Sam sylwi fod rhywun wedi gneud y twnnal yn fwy, fel roeddan ni'n mynd i mewn. Maen nhw wedi bod yn tyllu'r llawr i'w neud o'n is.'

Ar hynny daeth Babs a Sam yn eu holau at geg y lefel a golwg ofnus arnynt. Roedd sŵn yn dod o'r 'eglwys gadeiriol'!

Dechreuodd y pump ymlwybro ar hyd y twnnel. Bu chwilfrydedd yn drech na synnwyr cyffredin, wedi dod cyn belled. Y tro hwn nid oedd angen fflachlamp oherwydd roedd goleuadau wedi eu gosod hwnt ac yma ar y waliau. Gwnaent y lle ei hun yn llai brawychus, ond eu bod hwythau'n haws i'w canfod gan bwy bynnag oedd yn y pen draw. Aethant ymlaen ar flaenau'u traed, yn barod i redeg i gysgod cilfachau'r labrinth pe bai rhywun yn dod.

Nid oedd y sŵn o'r pellter yn codi arswyd ynddo'i hun. Sŵn cyffredin llifio a morthwylio oedd o, ond golygai fod dynion yno hefyd. Gellid clywed eu lleisiau. Wrth nesáu roedd yn bosib adnabod seiniau Cymraeg a gwenodd Sabel a Geini ar ei gilydd. Doedd pethau ddim cynddrwg. Efallai fod yr hen chwarel lechi wedi ei hailagor.

Fesul un, gan gadw yn y cysgodion orau y medrent, cyrhaeddwyd ceg yr ogof anferth. Yno gwelent ddynion, pedwar i gyd, mewn dillad gwaith, wrthi'n adeiladu cytiau brics ac uwch eu pennau y gofod aruthrol yn bychanu'r holl weithgarwch. Goleuwyd godrau'r graig gan lampau llachar a ddangosai bob rhych a rhigol. Ar y llawr roedd cledrau haearn yn rhedeg o amgylch y teios. I fyny yn y caddug di-ben-draw edrychai'r ochrau gerwin uchel fel muriau cerfiedig, eglwysig. Gellid dychmygu bod yno fwâu mawreddog a beddrodau cywrain ac eilunod prudd, fry yng ngheinder y gwyll.

Obry, y cytiau to fflat, yn atgoffa Sabel o'r cabanau ar lan y môr ac eto nid oeddynt mor fach â'r rheini mewn gwirionedd. Roedd gan y dynion a weithiai y tu mewn iddynt ddigonedd o le uwch eu pennau.

'Amsar i gymyd tamaid o ginio, hogia,' meddai un ohonynt. 'Wn i ddim be goblyn 'dan ni'n neud ond beth bynnag ydyn nhw fyddwn ni fawr o dro rŵan yn 'u gorffan nhw.'

Safai bwrdd wrth geg yr ogof a byddent yn dod ato i nôl eu tuniau bwyd. Symudodd y plant yn ddistaw ac yn gyflym er nad ar gymaint o ras ag o'r blaen. Roedd golwg digon clên ar y gweithwyr yna ond tresbaswyr oedd tresbaswyr. Wedi cyrraedd yr awyr agored teimlent yn gymysglyd iawn. Roedd ofn a chyffro, chwant bwyd a chwilfrydedd, i gyd yn corddi o'u mewn ac ni ddaethant atynt eu hunain nes cyrraedd y Meini Hirion. Gorweddai rhai o'r meini ar eu hochr yn y gwair ac eisteddodd y giang arnynt fel pe baent yn cael cysur o'u hender ar ôl y newid sydyn a welsent o gwmpas y chwarel. Digwyddasai mewn byr amser ac, ar ben hynny, roedd yn anesboniadwy.

'*Air-raid shelters,*' oedd syniad Sam.

Braidd yn bell hyd yn oed i bobl Trelech heidio yno pan glywent y seiren, meddyliai Sabel. Ac ni wyddai'r gweithwyr eu hunain beth a wnaent yno. Pa obaith felly iddynt hwy allu dyfalu?

Safodd Sam ar ei draed yn sydyn gan dynnu ei sbienddrych o'i fag. Roedd y gêr iawn ganddo bob amser. Syllodd am hydoedd nes bod pawb yn gweiddi, 'Be? Be? Be?' Yna, rhoes y teclyn i Penri ac o dipyn i beth fe gafodd pawb weld. Sabel, yr ieuengaf, oedd yr olaf i'w dderbyn a chymerodd dipyn o amser iddi allu serio'i llygaid ar y man y ceisiai pawb ei chyfarwyddo ato. Draw yn y de roedd un, dwy, tair, pedair o lorïau'n dringo llethr y chwarel.

PENNOD 3

Ar y bore Llun canlynol cyfarfu'r pump ohonynt yn yr orsaf. Fel arfer tueddai'r genethod a'r bechgyn i sefyll ar wahân yn barod i fynd i'w priod le ar y trên, y genethod yn y tu blaen a'r bechgyn yn y cefn. Gwaherddid teithio cymysg a byddai'r drws cysylltiol rhwng y ddwy ran bob amser ar glo. Y bore hwn, fodd bynnag, safai'r pump gyda'i gilydd, wedi eu clymu gan y gyfrinach a rannent. Bron nad oeddynt yn giang, meddyliai Sabel, er yr amrywiaeth oedran. Roedd llawer ganddynt i'w drafod gan i bawb fod yn bur dawel ar y ffordd adref nos Sadwrn heblaw am addunedu i ddweud dim wrth neb arall. Digon tebyg fod y datblygiad yn y mynydd yn gyfrinach wladol ac wrth i Sabel feddwl am hynny dros y Sul aethai ton o gynnwrf braf drwyddi.

Yn awr, cyn cael cyfle i benderfynu dim bron fe'u hamgylchynwyd gan ager swnllyd y trên. Roedd Sabel yn falch, a dweud y gwir, oherwydd ofnai i rywun eu clywed yn siarad. Dringodd i mewn i'r trên a chythru am gornel wrth y ffenestr. Gwelai'r gorsaf-feistr, Mr Annwyl, yn cerdded yn fân ac yn fuan heibio i'r cerbydau yn gwneud yn siŵr fod popeth yn weddus oddi mewn. Oedodd i arolygu un o'i staff yn gorffen rhoi'r brws past ar boster newydd. Craffodd Sabel ar y neges bwysig am siarad diofal. Braslun o ddau hen gono oedd o, yn eistedd mewn cadeiriau clwb, esmwyth, wrthi'n dal eu sigârs ac yn prepian yn ddiofal y tu ôl i'w papurau newydd heb sylwi bod wyneb Hitler yn craffu arnynt o'r darlun ffrâm-aur henffasiwn ar y wal uwch eu pennau. Rhoes Sabel bwniad arwyddocaol i Geini fel y symudai'r trên yn araf heibio iddo.

'Dyna fo, ti'n gweld,' sibrydodd. 'Rhaid i ni fod yn ofalus be 'dan ni'n ddeud. Wyddon ni ddim pwy sy'n gwrando.'

Ac eithrio Babs, roedd hyd yn oed y genethod eraill yn y cerbyd y tu allan i'w cylch cyfrin yn awr. Ond ni allai gymryd y poster yn hollol o ddifri; roedd y ddau ddyn yna'n byw mewn byd cwbl wahanol i Benmarian.

'Ew, lwcus bod gynnon ni ddim llunia crand fel 'na yn Pen, myn cob,' meddai Geini, a dechreuodd y ddwy chwerthin yn wirion.

Wedi cyrraedd Llanadda doedd dim modd trafod yn gyfrinachol yn y fan honno chwaith. Tyrrai'r bechgyn a'r genethod blith draphlith i fyny'r allt gefn gul ar ddechrau'r daith at y ddwy ysgol. Ar dop y lôn honno gwahanent, y bechgyn yn ymuno â'r ffordd fawr a âi heibio i'w hysgol hwy, a'r genethod yn cymryd tro byr i'r chwith ar draws caeau agored at eu hysgol hwythau. Ond y bore hwn, gyda dewrder anarferol, daliodd y tair ffrind yn eu blaenau efo Sam a Penri er mwyn cael llonydd i drafod a gwneud cynlluniau. Gallent ailymuno â llwybr y genethod ymhellach ymlaen. Roedd y pump yn unfrydol na fyddent yn fodlon nes datrys cyfrinach y mynydd a phryd i fynd yno drachefn oedd y pwnc dan sylw. Gan fod Babs yn y tîm hoci ac yn chwarae ar Sadyrnau rhaid oedd gohirio mynd tan hanner tymor. Penderfynwyd felly mynd ar y dydd Mawrth gan fod yn rhaid i Geini a Sabel fynd i'r capel ar y dydd Llun, diwrnod Diolchgarwch. Wrth sgwrsio'n frwd ni sylwodd yr un ohonynt ar *Austin Seven* y Brifathrawes yn mynd heibio.

Yn y gwersi'n ddiweddarach ni allai Sabel roi ei meddwl ar ei gwaith. Buasai dysgu pethau newydd bob amser yn bleser iddi ond, yn awr, yr olygfa y tu allan i'r ffenestr a'i denai. Rhygnai Moses ymlaen am yr Hen Aifft. Rhyfedd fel y gweddai enwau rhai pobl iddynt. Miss Moses oedd yr athrawes Hanes, a Dyffryn y Brenhinoedd oedd yn mynd â hi y bore hwnnw. Ysgrifennai ambell air anghyfarwydd yn hamddenol ar y bwrdd du ar y wal y tu ôl iddi gan roi digon o gyfle i'r breuddwydiwr edrych ar y mynyddoedd. Gellid eu gweld yn hawdd hyd yn oed drwy'r stribedi cris-groes a ludwyd ar y ffenestri. Dechreuasai'r gelyn fomio o ddifri yn awr draw yn y trefi mawrion ond roedd yn anodd gan Sabel gredu bod y ffenestri hyn mewn perygl. Rhoddai'r patrwm naws eglwysig, rhamantus i'r stafell, meddyliai. 'Tutankhamen' copïai'n fecanyddol yn ei llyfr. Beth oedd yn mynd ymlaen yn y bryniau acw, tybed? Torrwyd ar ei myfyrdod gan ffit o besychu o gyfeiriad Geini a sylwodd fod Moses yn hyllio arni. 'Howard Carter', sgrifennodd gan blygu'i phen yn or-ddiwyd dros ei llyfr. Pwy oedd o pan oedd o adra, tybed?

'Gwell i ti beidio breuddwydio yng ngwers y Brif neu mi fyddi di amdani,' meddai Geini ar y ffordd i'r stafell Saesneg. 'Wna i ddim meiddio pesychu i arbed dy fywyd di yn y fan honno.'

A dweud y gwir, edrychai Sabel ymlaen at ddarllen mwy am anturiaethau'r *Ancient Mariner*. Roedd yn hoff o'r môr. Gallai ei weld o'i llofft gartref a theimlai'n aml wrth syllu arno drwy'r ffenestr fod antur yn aros dros y gorwel yna yn rhywle. Aeth ei hadduned i roi ei meddwl ar ei gwaith yn chwilfriw, fodd bynnag, pan hysbysodd y Brifathrawes ar y dechrau, o flaen y dosbarth i gyd, fod arni eisiau gair efo Geini, Babs a Sabel yn ei hystafell amser egwyl.

Ni fu Sabel yno o'r blaen. Roedd yn stafell chwaethus. Darluniau wedi eu gosod yn effeithiol ar y waliau a'r llawr pren igam-ogam yn disgleirio o amgylch y sgwaryn o garped trwchus, ond, er yr holl gysur a'r sglein, oeraidd iawn oedd wynepryd y Brifathrawes. Byddai'n rhaid iddynt aros i mewn ar ôl yr ysgol ddydd Iau a pheidio â chyd-gerdded ar y rhan honno o'r ffordd efo'r bechgyn byth eto. Llwyddodd i drosglwyddo'r syniad yr ystyriai hwy'n droseddwyr anaele ac nad oedd fawr o ddyfodol iddynt fel dinasyddion parchus. Wrth gau'r drws ar y ffordd allan edrychodd y tair ar ei gilydd gan ledu eu gwefusau'n dynn a thaflu eu golygon tua'r nen.

* * *

'Wnest ti ddeud wrth dy fam a dy dad am ddydd Iau?' gofynnodd Geini drannoeth.

'Do.'

'Be ddaru nhw ddeud?'

'Dim llawar o ddim ond mi roedd hi'n amlwg 'u bod nhw'n cytuno efo'r Brif achos ddaru nhw edrach ar 'i gilydd fel petawn i'n hoples cês. Be amdanat ti?'

'O, deud na chafodd Penri rioed dditensiyn. A mae hynny'n brifo.'

* * *

Roedd yn rhaid rhedeg am y trên pump ddydd Iau gan fod Moses, a ddigwyddai fod ar ddyletswydd hwyr yr wythnos honno, wedi eu cadw tan y funud olaf a mynnu eu bod yn gwisgo'u hetiau'n sgwâr am eu pennau a'u menig am eu dwylo cyn eu gollwng drwy'r drws. Wrth iddynt droi i mewn ar garlam am orsaf Llanadda a'u hetiau wedi eu rholio yn eu dwylo erbyn hynny, safai car anghyffredin ar yr iard. Roedd gwaith coed ar ei ochrau a ffenestr flaen hirgul yn gwgu dros y bonet uchel. Nid oedd yn hawdd gweld i mewn iddo ond fel yr âi Sabel heibio daeth dyn ifanc efo het drilbi ddu am ei ben allan ohono a chafodd gip ar ŵr barfog, canol oed yn eistedd yn y cefn. Gan mai hi oedd yr olaf yn y ras am y trên dim ond Sabel a glywodd y gŵr ifanc yn ffarwelio â'i gydymaith.

'*Auf Wiedersehen*,' meddai gan gau'r drws a brysio heibio i fyny'r grisiau at y trên.

Roedd effaith y gair ar Sabel yn drydanol ond fe'i synnwyd yn fwy fyth pan welodd Babs yn siarad â'r gŵr ifanc wrth fynd i mewn i'r cerbyd. Cyflwynodd ei ffrindiau iddo gan esbonio mai ei chymydog, Mr Davies, ydoedd ac ar ôl y cyfarchion cwrtais arferol agorodd y dyn ei lyfr a darllenodd am y rhan fwyaf o'r daith. Roedd Sabel bron â marw eisiau dweud beth a glywsai ond ni allai, wrth gwrs. Cafodd gyfle, fodd bynnag, i astudio'r dyn bob yn hyn a hyn. Braidd yn llwyd oedd ei wedd, yn enwedig felly wrth ochr wynebau cochion, chwyslyd y genethod. Gafaelai yn ei lyfr gyda dwylo main, sensitif. Ni welsai Almaenwyr tebyg i hyn yn sinema'r Luxor ond efallai bod yna rai, serch hynny.

Pan oedd y ddwy'n mynd i fyny'r allt am adref cafodd Sabel gyfle i ddweud ei stori wrth Geini ond ni chafodd fawr o gydymdeimlad.

'Paid â siarad mor wirion, Sab. Doedd o ddim yn swnio fel *German* o gwbwl. Roedd o'n siarad fel Sais. Golcha dy glustia.'

'Wel, tydi sbeis go-iawn ddim yn siarad Saesneg chwithig fel *Germans* yn y pictiwrs, siŵr.'

'Ddeudodd Babs wrtha fi 'i fod o newydd orffan yn yr un coleg yn Cambridge ag y buo'i thad hi ynddo fo, felly sut fedra fo fod yn sbei?'

* * *

Gwahoddwyd Geini a Sabel i gael te yng Nglanrhyd ar y Sadwrn canlynol. Y tro hwn edrychai Mrs Elton yn fwy fel mam. Roedd yn groesawus mewn ffordd ffwrdd-â-hi ac wedi hwylio te cartrefol ar fwrdd moel y gegin. Profodd Sabel o'r hapusrwydd hwnnw a ddaw wrth gael bwyd yn nhŷ ffrind, pan fo hyd yn oed y peth mwyaf cyffredin fel pot jam rywsut yn cael ei weddnewid. At hynny, addawsai Mrs Elton chwarae Monopoli efo nhw'n ddiweddarach. Roedd ar ben ei digon. Waeth befo'r hen amheuon gwirion yna. Ni ddywedasai air am yr *auf Wiedersehen* wrth yr Eltons. Roedd Geini wedi taflu dŵr oer ar ei darganfyddiad a hefyd nid ymddangosai'n weddus i ddilorni cymydog a oedd yn amlwg yn dderbyniol gan Babs a'i theulu waeth pa mor anghymdeithasol.

Ond y funud nesaf, meddai Mrs Elton, '*Something's going on next-door.*'

Tarodd Sabel ei chwpan i lawr braidd yn rhy sydyn nes i'r te dywallt drosodd i'w soser.

Morthwylio drwy'r dydd, ychwanegodd mam Babs. Wedi difetha pob ymgais wrth y piano.

Edrychodd Sabel ar Geini a chafodd gic yn ôl o dan y bwrdd.

'I be oedd y gic yna'n da?' gofynnodd Sabel pan oedd Babs a'i mam yn golchi'r llestri.

'Eisio i ti beidio â bod mor ddramatig. Cofia'r tair C.'

Aethai hwn yn ddywediad rhyngddynt ar ôl Sadyrnau yn y Luxor. Fflachiai neges ar y sgrin i rybuddio pawb i gadw'u pennau petai'r seiren yn canu: *Keep Cool, Calm and Collected.* Gorwneud y cyflythreniad oedd hyn, yn nhyb Sabel, ac ni wyddai'n iawn beth oedd ystyr *collected*, p'run bynnag.

Awgrymodd Babs yn ddiweddarach eu bod yn mynd i sbecian i Sefton Villa a sleifiodd y tair i gyfeiriad y drws bwaog. Agorodd yn llai herciog y tro hwn. Safai lorri adeiladwyr ar y dreif ac roedd gweithiwr wrthi'n taflu celfi i mewn iddi gyda diofalwch diwedd dydd. Roedd ffenestr un o'r llofftydd wedi ei thynnu allan a thwll mawr wedi ei agor yn y wal. Edrychai fel petai ffenestr fwy o lawer am gael ei rhoi yno. Peth rhyfedd i'w wneud adeg rhyfel, meddyliai Sabel. Byddai'n rhaid prynu llathenni o stwff du i wneud cyrtans blacowt.

'Smae?' gwaeddodd llais drwy'r twll yn y wal.

Gwelsant mai Jethro oedd yna. Byddai'n gwneud gwaith fel hyn yn achlysurol pan oedd tymor y cychod rhwyfo ar lan y môr ar ben. Teimlent braidd yn annifyr eu bod wedi cael eu dal yn busnesa ac eto nid oedd Sabel am adael i'r cyfle fynd.

'Be 'dach chi'n neud?' gofynnodd. Gallai fod dipyn bach yn hy arno gan ei fod yn dod i bapuro i'w mam ambell waith.

''Dach chi eisio gweld? Does 'na neb yma ond ni.'

Arhosodd Geini a Sabel am arweiniad gan Babs. Wedi'r cyfan, ei libart hi oedd Mossbank Road. Ildiodd Babs i'r demtasiwn a chyn pen dim roeddynt i fyny'r grisiau yn cael trafferth efo drws newydd y stafell. Fe'i hagorwyd gan Jethro.

'Welsoch chi ddrws fel hwn erioed? Fasa Al Capone yn 'i chael hi'n anodd saethu drwy hwn, myn dian i.'

'Be 'dach chi'n neud, Jethro?' gofynnodd Geini.

'Wn i ddim, yn tad. Chewch chi wbod fawr y dyddia yma. Eisio ffenast fwy, medda fo. I gael mwy o ola o'r gogladd. Mi fydd yn oerach o lawar iddo fo. Dew, mae'n anodd dallt pobol, yndi wir.'

Safai Babs ger y twll yn y wal yn edrych allan ac aeth y ddwy arall ati. Roedd yn dechrau nosi'n braf. Gwelid cip ar y môr a chlywid cri pell gwylanod. Yna daeth sŵn car a drws yn clep-ian yn y lôn ac injan yn ailgychwyn. Rhedodd y merched euog am y grisiau heb stopio nes cyrraedd y drws dihangol yn y wal.

Wedi cyrraedd Glanrhyd roedd het ddu ar fwrdd bach yn y cyntedd a chlywent lais y cymydog yn ymddiheuro am y twrw drws nesaf. Roedd yn cael gwneud ychydig o gyfnewidiadau, meddai. Hebryngodd Mrs Elton ef allan o'r parlwr lle roedd Cwil, a oedd ar fin ymuno â'r lluoedd arfog, i'w weld yn eistedd ar y soffa a Polly wrth ei ochr.

'*Thank you for calling, Karl,*' meddai Mrs Elton.

Karl! Gwefreiddiodd Sabel drwyddi.

'*Hallo, Mr Davies,*' meddai Babs, yn ffwdanus braidd.

'*O "Karl", please,*' meddai wrthi, gan roi gwên ansicr ar y ddwy arall.

Oedodd ar stepan y drws i roi'r trilbi am ei ben. Am ennyd, edrychai fel *gangster* i Sabel. Gwelsai fwy nag un dihiryn hetiog, syber ei leferydd yn y Luxor.

* * *

Wrth gerdded adref gyda Geini'r noson honno ni allai Sabel gadw'n ddistaw am ei theimladau.

'Wnest ti sylwi ar yr enw? Tydi Karl ddim yn enw Saesneg nag 'di?'

'O, wn i ddim. Beth am Davies, 'ta? Be sgin ti i gwyno am hwnnw?'

Bwriodd Sabel ymlaen ar ei thrywydd ei hun heb gymryd sylw.

'Ac yn trio deud wrth Babs am ei alw fo'n "Karl".'

'O, chwara teg, Sab. Mae'n siŵr nag ydi o ddim gymint â

hynny'n hŷn na Penri. Mi fydd Penri'n mynd i'r coleg flwyddyn ar ôl nesa, os na . . .'

'Trio ffalsio oedd o, dyna i gyd.'

Cawsai ei dwyn i fyny i alw pawb yn Mr Hwn-a-hwn neu Mrs Hon-a-hon ond yn ei chalon gwyddai fod gan bobl wahanol syniadau am gyfarch a chael eu cyfarch. Roedd Geini, er enghraifft, yn galw ei mam a'i thad yn 'ti', nid 'chi' fel y gwnâi hi, a'r pnawn yma roedd wedi ei chlywed yn dweud 'Jethro' yn blwmp ac yn blaen wrth ddyn canol oed.

Aeth i'w gwely mewn penbleth ond roedd hanner tymor ganddi i edrych ymlaen ato.

PENNOD 4

Gorweddai Sabel yn anfodlon yn ei gwely. Yn wahanol iawn i'w harfer ar foreau ysgol ysai i godi. Clustfeiniai am sŵn ei mam yn stwyrian ond nid oedd dydd Mawrth hanner tymor wedi gwawrio eto. Roedd yn hwyrach yn dyddio'n awr er yn dal yn olau braf gyda'r nos. Ni bu dim gwrthwynebiad gan ei rhieni iddi fynd am dro i'r mynydd gyda'r lleill. Y cwbl a ddywedodd ei thad oedd, 'Be ddigwyddodd i'r hen hogan bach honno oedd â'i phen yn ei llyfr bob munud?' Bu'n ferch wrth eu bodd ddoe, beth bynnag, yn cerdded yn ôl ac ymlaen i'r capel i ddiolch deirgwaith am y cynhaeaf. Oedd hi'n werth diolch am y Dorth Genedlaethol, tybed? Hen fara pyg yr olwg oedd o, yn ôl ei mam, and yn iachach i'r genedl yn ôl y Doctor Radio, a fo oedd yr oracl.

Er iddi deimlo ddoe yn llusgo am ei bod ar bigau'r drain i weld heddiw'n gwawrio, ni fu'r dydd heb ei fwynhad. Roedd bob amser yn ddiwrnod gwahanol: y capel yn llawnach nag ar unrhyw ddydd Sul a chymeriadau yno na welid am flwyddyn gron arall; yr hen flaenoriaid yn gofyn i Dduw faddau iddynt am amlhau gwael eiriau ger Ei fron a hithau'n meddwl eu bod yn eiriau grêt; yna Mrs Iorwerth a Geini'n dod i gael swper, a sgwrs rhieni yn felys. Rhôi hi a Geini eu pig i mewn weithiau ond bodlonent gan fwyaf ar wenu ar ei gilydd dros lwnc o de. Ac yn gyfeiliant i'r cyfan, y cynnwrf mewnol o edrych ymlaen.

O'r diwedd, sŵn ei mam yn rhawio'r lludw o'r lle tân.

Ni allai weld ei hun yn cychwyn yn ddigon buan, ac wedyn yr holl ffordd i fyny'r bryniau cyntaf llamai ei chalon wrth ddyfalu beth a ddatgelai'r mynydd y tro hwn. Tri chynnig i Gymro, meddai'r hen air, ac felly ar eu trydydd ymweliad â'r chwarel byddai rhywbeth syfrdanol yn siŵr o fod yn eu haros. Roedd yn haf bach Mihangel o ddiwrnod a'r heulwen yn hidlo rhyw hud dros bopeth. Yn ystod eu hegwyl ger Meini Hirion y Derwyddon safodd Sabel yn sydyn a gwenu o glust i glust.

'Be wyt ti'n neud, yr hen hulpan wirion?' gofynnodd Geini.

'Drycha,' a rhoes lond ceg o wên eto. 'Be wyt ti'n feddwl dwi'n neud?'

'Trio edrach yn wirion?'

'Nace, grinio *for joy*, siŵr iawn, 'run fath â Coleridge.'

'Be!'

'Oeddat ti ddim yn gwrando pan ddeudodd y Brif wrthan ni amdano fo'n bustachu i ddringo'r feri mynydd yma efo ffrindia a'i geg o'n grimp, a dyma fo'n gwenu fel giât pan giciodd o'r garreg a gweld dŵr odani. Ac wedyn mewn blynyddoedd dyma fo'n cael y brênwef o sgwennu'r geiria 'na yn yr Ensiant Mariner. Fel 'na mae beirdd.'

Roedd yn wefreiddiol ei bod hwyrach yn sefyll yn yr union fan lle y gwenodd y bardd o lawenydd. A lle bu'r Derwyddon ganrifoedd cyn hynny'n gorohïan ar ôl cael y maen olaf i sefyll yn syth. Teimlai'n rhan o ysbryd gorfoleddus y lle. Roedd popeth yn argoeli'n dda.

Ond wedi cyrraedd yr hen chwarel siom oedd yn eu haros. Ni ellid gweld ceg yr ogof. Roedd dorau mawr yn ei chuddio, drysau cryf o ddur a phren wedi eu gosod mewn mynedfa o goncrit yn estyn allan o wyneb y graig ac yn edrych mor ddigroeso â phorth y Luxor ar ddydd Sul. Dringo'r llethr heb fawr o asbri ond wrth nesáu gwelwyd bod llygedyn o obaith; roedd amlinelliad o ddrws llai i'w ganfod wedi ei dorri allan yn y ddôr ar y dde. Cuddiodd y gweddill y tu ôl i domennydd o grawiau a rwbel tra aeth Penri, yr hynaf, ymlaen i archwilio'r sefyllfa. Yn y drafodaeth ymlaen llaw bu'n ddigon hawdd gweld yr ystyriai Sam mai fo oedd yr un i'r gwaith allweddol hwnnw ac, yn wir gwnaeth gymaint o argraff ar Sabel gyda'i ynganu sicr o'r gair *reconnaissance* nes iddi dueddu i feddwl mai felly y dylid bod wedi gwneud, ond fe'i siomwyd hi ar yr ochr orau pan welodd Penri fwyn yn mynd ati fel un o arwyr y sgrin arian. Gosododd ei gefn ac ochr ei ben yn ôl yn erbyn y ddôr ac estyn ei fraich allan ar draws lled y drws bach. Yna ei wthio yn ara deg tra'n cadw ei gorff yn glir oddi wrth unrhyw ymosodiad o'r tu mewn. Ildiodd y drws i'r pwysau tyner a daliodd Sabel ei gwynt. Gallai deimlo ei gwaed yn carlamu drwyddi.

'Wyt ti'n clywad 'y nghalon i'n curo?' sibrydodd wrth Geini mewn braw.

'Nag 'dw siŵr. Rhywbath arall sy'n gneud twrw. Gwranda!'

O'r tu mewn i'r lefel clywid peiriant yn curo fel pwmp. Sŵn annaearol yn unigedd y moelydd.

* * *

Ni wyddai Sabel yn iawn sut y cafodd ei hun yn byseddu ochrau llaith y lefel unwaith eto. Roedd ganddi syniad annelwig iddi gael ei dewis i sbecian am mai hi oedd y lleiaf ac y gallai felly guddio'n sydyn yn y rhwydwaith o dwnelau. Byddai Geini a Babs yn ei dilyn mewn ysbaid i gadw llygad arni a'r bechgyn yn gwylio'r tu allan. Roeddynt eisoes wedi edrych o gwmpas yn ofalus cyn mentro tresbasu. Ymhell i lawr yn y cwm tua'r de i gyfeiriad Trelech gwelsant simneiau ffermdy mewn llwyn o goed ond doedd yr un enaid byw yn unman, na dim sôn am na lorri na char. Er hynny roedd yr olion trafnidiaeth ar wyneb y lôn yn awgrymu'r posibilrwydd o berygl a'r drws di-glo yntau'n arwydd o fynd a dod gweddol reolaidd. Rhoes Sabel edrychiad nerfus yn ôl ar y dorau trwm. Popeth yn iawn hyd yma. Nesaodd fesul tipyn at y tro lle roedd y golau cyntaf, gan gadw'n glòs at y wal rhag baglu ar y cledrau. Roedd yn dechrau cynefino â'r lle! Cofiodd am sŵn y gweithwyr y tro cynt ac os oedd y chwarelwyr capiog, cartrefol hynny yno eto doedd dim llawer i'w ofni mewn gwirionedd.

Dim ond dwndwr y peiriant oedd i'w glywed yn awr. Rhyfedd mor gysurlon oedd ei sŵn erbyn hyn, yn boddi pob smic o'i heiddo. Ni chlywodd chwaith symudiadau Babs a Geini a oedd bron â'i dal i fyny. Tynnai at ben draw'r lefel a meddyliai y gallai ganfod cistiau pacio ger agoriad yr ogof. I'r dim i'w chuddio!

Am wythnosau bu'n hiraethu am weld yr ogof ac unwaith eto, yn ôl ei arfer, roedd gan y lle ryfeddod i'w ddatguddio. Roedd y mawredd eglwysig yn dal yno yn ei holl ysblander, a gwthiai dau ddyn wagen gaeedig ar hyd rheilffordd gul a redai o amgylch y cytiau, dau Sais mewn siwtiau bob dydd. Hyn oll a welodd drwy gil ei llygad o'i chuddfan. Ond yr hyn a hoeliodd ei bryd oedd cynnwys y cytiau. Dim rhyfedd iddi deimlo'n lwcus ger y Meini.

Roedd drysau'r ddau gwt nesaf ati'n llydain agored, yn dadlennu rhesi ar resi o ddarluniau godidog, nid wedi eu gosod hwnt ac yma ar y waliau fel yn stafell y Brifathrawes ond mor glòs at ei gilydd ag y medrid eu rhoi; pob mur yn gyforiog o gelfyddyd gain. I'r dde pwysai paentiadau mawr yn erbyn y wal ysgwydd wrth ysgwydd nes ymestyn o'r golwg mewn tro yn yr oriel-wneud. Ar y chwith, lluniau llai mewn rhes ddwbl, un uwchben y llall. Y Forwyn Fair, byddigions mewn sidanau, duwiesau noeth yn ymdrochi'n weddus, i gyd yn braidd-gyffwrdd ei gilydd dan yr unto.

'*What can you see?*' sibrydodd Babs o wyll y lefel.

'*Wonderful things*,' atebodd Sabel, yn ddiarwybod iddi'i hun.

Torrwyd ar y swyn pan gamodd dyn canol oed, barfog yn araf i'r golwg ym mhen draw'r rhesi o luniau. Yn ei law cludai fflachlamp er nad oedd angen un gan fod digonedd o olau yno. Taflodd belydryn ohoni ar un o'r paentiadau a chraffu ar gornel ohono drwy chwyddwydr. Âi o un tamaid o'r llun i'r llall fel hyn gan syllu'n fanwl. Wrth ei wylio tybiodd Sabel iddi ei weld o'r blaen yn rhywle a daeth ton oer drosti. Sylweddolodd ei pherygl. Bu'n ffŵl i fusnesa yn y fath le. Beth petai'r dorau mawr yn cael eu cloi arni am byth? Pan deimlodd law ar ei hysgwydd bu bron iddi â gweiddi.

Penri oedd yn ei hysgwyd i ddal ei sylw. Gwelodd fod Babs a Geini hefyd wedi cyrraedd ei chuddfan y tu ôl i'r cistiau ac amneidiodd Penri arnynt ill tair i ddod ar frys.

Dihangodd y cwmni bach yn llechwraidd ar hyd y lefel. Roedd Sam a'i sbienddrych wedi llygadu car yn dod yn y pellter i fyny'r cwm hir o Drelech a brysiodd pawb i guddio y tu ôl i domen o rwbel a rhedyn chwarel.

'*Cave*!' meddai Sam, gan dorri ar draws eu sibrydion o'r hanes.

Roedd Sabel wedi darllen digon o storïau ysgolion preswyl i gael ei gwefreiddio am eiliad gan y gorchymyn Lladin a theimlai braidd yn ddig wrth Geini am wneud stumiau.

Sŵn car yn stopio. Dau ddrws yn cau'n glep. Sŵn cerdded. Llais cyfarwydd yn datgan gobaith y byddai pawb yn barod i ddod i archwilio'r ffordd o dan y bont. Curiadau'r peiriant i'w clywed yn uwch fel yr agorwyd y drws bach, ac yna'n distewi.

'*It's that man again*!' meddai Babs.

Roedd clywed llais Karl Davies wedi bod yn sioc i bawb. Symudodd Sabel ar ei phedwar i gael cip allan. Ni chafodd ei synnu gymaint â hynny o weld yr union gar a safai y tu allan i orsaf Llanadda y diwrnod hwnnw pan oeddynt yn rhedeg am y trên hwyr a phan welodd y dyn barfog yn y sedd gefn.

Clywyd crescendo'r peiriant unwaith eto a fferrodd pob un. Sŵn mân siarad a goriadau'n troi, drysau'n clepian ac injan yn cychwyn. Ni symudodd yr un o'r plant nes bod rhuadau'r motor yn ddim ond mwmial yn yr awel.

'*All clear*!' meddai Sam ac er syndod i'r gweddill aeth am yr ogof yn lle dechrau ffoi fel pawb arall. Gresynai nad oedd wedi gweld y trysor cudd fel y lleill a gwthiodd y drws rhag ofn nad oedd ar glo.

'Waeth iddo heb,' meddai Geini, 'a ph'run bynnag doedd 'na ddim byd gwerth i'w weld yn diwadd, nag oedd?'

Edrychodd Sabel yn wirion arni.

'Wel, rhyw lunia blêr, heb fframia, mewn hen gytiau brics?'

'Iesgob, Geini, ti'n mynd yn fwy fel Idris bob dydd.'

'Be wyt ti'n feddwl?'

'Wel yr hogyn 'na yn y darn o farddoniaeth ddaru Miss Parry neud i ni ddysgu.'

'O, hwnna,' meddai Geini gan droi ar ei sawdl a mynd i ymuno â'r gweddill.

Cerddodd y giang heb arafu na dweud fawr ddim nes cyrraedd y tai annedd cyntaf hwnt ac yma ar gyrion mynyddig Penmarian. Troellai'r lôn rhwng cloddiau cerrig at groesffordd fechan lle roedd mainc ar gongl o laswellt. Yma bu Sabel a Geini, mewn dyddiau gwahanol, mewn byd arall bron, yn gorffwys droeon a'u potiau jam yn llawn o lus wrth eu hochr. Yma'n awr yr eisteddodd y pump i bendroni.

'*Evacuees*,' meddai Sam. Dyna oedd y lluniau.

O Lundain fel ni, mae'n siŵr, ychwanegodd Babs. O'r Galeri yn Trafalgar Square, hwyrach.

'*Sh*! *Walls have ears*,' meddai Sam.

Trafalgar Square! meddyliodd Sabel. Câi ei thynnu i fanno bob amser wrth chwarae Monopoli.

'Be?' clywai Geini'n arswydo. Fedrai hi ddim coelio y byddai neb call yn rhoi lluniau mewn chwarel. Hen le llychlyd, tamp fel 'na.

A! meddai Penri, a astudiai'r gwyddorau yn y chweched dosbarth, hwyrach mai dyna'r rheswm am y peiriant. I reoli'r tymheredd, rhag i'r paent gracio.

Roedd y ddau fachgen erbyn hyn wedi symud i eistedd ar y glaswellt o flaen y genethod er mwyn gwneud cylch clòs.

A beth oedd y sôn am y bont yna? ychwanegodd Penri.

A pheth arall, mynnodd Geini, heb gymryd sylw o gyfraniad ei brawd, beth petai'r llechi'n syrthio i lawr am ben yr holl gybôl?

Meddyliai Sabel am berygl arall, sef presenoldeb Karl Davies yn y chwarel. Nid oedd wedi medru cael yr *auf Wiedersehen* allan o'i phen ond cystal iddi gadw'n ddistaw. Gwyddai na châi fawr o gefnogaeth. Rhoes gynnig ar yrru'r cwch i'r dŵr, fodd bynnag, drwy awgrymu efallai bod y lluniau wedi'u dwyn.

'*Come off it, Sab!*' meddai Babs. Roedd credu bod yr holl gannoedd yna wedi'u dwyn yn chwerthinllyd.

On'd oedd hwnna'n gar doniol? meddai wedyn, gan roi cynnig arall arni.

Roedd yn rhaid cael car go gryf i fynd i fyny'r mynydd ymhob tywydd, atebodd Sam.

Roedd o'n debycach i gar y fyddin neu danc bach na char, a dweud y gwir, meddai Penri yn fwy fel jôc na dim.

Ac wrth yr enw 'tanc' y cyfeiriwyd at y car byth wedyn.

Pam nad oedd Karl yn y fyddin ei hun tybed? gofynnodd Geini, gan gofio pryder ei mam am Penri, mae'n debyg.

Am ei fod o mewn rhyw fath o wasanaeth sifil, esboniodd Babs. Dyna a ddywedai ei thad. Roedd bod yn was sifil yn waith rhyfel ynddo'i hun.

Roedd rhywbeth yn derfynol yn y sylw hwn a daeth pen ar y dyfalu am y tro.

* * *

Wrth i Geini ddanfon Sabel ar y ffordd adref gwelsant ffigwr swmpus P.C. Landeg yn dod allan o orsaf yr heddlu.

'Ewadd,' meddai Sabel, 'tasa fo 'mond yn gwbod be 'dan ni'n wbod–'

'Fasa fo'n rhingyll cyn iddo fo allu deud Jack Robin,' ychwanegodd Geini, a chafodd y ddwy ffit o chwerthin nes gorfod pwyso'n erbyn wal yr eglwys.

Cawsai'r gair 'rhingyll' yr effaith hwn arnynt byth er pan ddechreuodd Miss Parry ddarllen stori dditectif efo'r dosbarth.

'Mae o'n swnio fel rhyw hen salwch go gas,' meddai Geini o dan ei gwynt y tro cyntaf y daethpwyd ar ei draws yn y wers, a dyna ddechrau.

* * *

'Wel, diolch i'r drefn!' meddai llais ei mam wrth i Sabel agor clicied y drws cefn.

'Byddwch ddistaw am funud i mi gael clywed diwedd y newyddion,' meddai ei thad.

O'r gegin gefn gallai Sabel ei ddychmygu'n cwpanu ei glust â'i law, a'i ben yn gwyro tua'r weiarles.

'Bomio trwm ar Lundain neithiwr,' meddai ei thad wrth iddi ymddangos yn y gegin orau. 'Oxford Street wedi 'i chael hi a'r Oriel Genedlaethol yn Trafalgar Square.'

Eisteddodd Sabel i lawr cyn dweud dim. Ofnai i'w choesau sigo oddi tani.

'Be am y llunia?' gofynnodd mor ddidaro ag y gallai.

'Ddywedwyd dim byd am y llunia. Mae rheini'n saff yn rhywle, i ti.'

'Tyrd at y bwrdd,' meddai ei mam. 'Mae gin i sgram i swpar. Teulu Betws wedi bod yma efo dipyn o wya a menyn ffarm fel trît i ni.'

Nid oedd Sabel yn or-hoff o fenyn ffarm. Roedd yn rhy hallt ganddi ond bwriodd i mewn i'r bwyd ar ei chyfer yn ddirwgnach rhag tynnu sylw ati'i hun. Crynai ei thu mewn fel deilen.

PENNOD 5

Daliai Sabel i grynu ar ôl cyrraedd y gwely. Daethai ei mam â photel dŵr poeth iddi fel pe bai'n synhwyro bod rhywbeth o'i le a gwnaeth hynny iddi deimlo'n euog. Roedd cadw cyfrinach yn wefr ac yn boen ar yr un pryd. Parhâi i weld trysorau'r ogof o flaen ei llygaid caeedig ac aeth dros yr holl brofiad yn fanwl: yr orielau isel, toreithiog; y gwagle amddiffynnol uwchben; y ddau Sais yn gwthio'r wagen a'u geiriau'n taro yn erbyn y graig. Ia, dyna fo! Roedden nhw'n siarad! Dyna sut y gwyddai mai Saeson oedden nhw. Roedd y lluniau wedi hawlio'i phrif sylw ac eto clywsai'r geiriau gyda rhan o'i hymennydd. Mae'n rhaid fod yna gil clust yn ogystal â chil llygad. Ond methai gael gafael ar ei meddyliau. Cyn gynted ag y deuai syniad, âi'n angof yr eiliad nesaf. Roedd cwsg yn dod drosti. Âi i gael gair efo Penri drannoeth. Roedd yntau wedi dal ar y sôn am y bont a byddai bachgen peniog fel fo yn gallu gwneud synnwyr o'r tamaid sgwrs yn yr ogof.

* * *

'Be?' gwaeddodd Geini.

'Sh!' meddai Penri. 'Dos yn dy flaen, Sab.'

'Mi ddeudodd un o'r dynion fod y Brenin yn dŵad yno dydd Sadwrn a . . .'

Ochneidiodd Geini'n ddiamynedd ar ei thraws.

'A be wedyn?' gofynnodd Penri'n dawel.

'Yn dŵad dydd Sadwrn o Gastall Penrhyn. O ia? medda'r llall. Ar gefn 'i geffyl mae'n siŵr a dyma nhw'n chwerthin a dyma'r cynta'n deud y bydda hi'n goblyn o siwrna anodd ond bod y lôn wedi cael ei gostwng o dan y bont relwé i neud digon o le iddo fo ac mi ddylia popath fod yn iawn gyda dipyn o lwc.'

Adroddodd Sabel hyn fel darn heb ei atalnodi, cyn i Geini gael rhoi ei phig i mewn eto. Ar ôl iddi orffen eisteddodd y tri yn nistawrwydd parlwr Mrs Iorwerth yn pendroni.

'Mae o'n gneud sens fod y Brenin yn aros yng Nghastall Penrhyn,' dechreuodd Penri.

'Ac wedyn mae'n debyg 'i fod o am gael 'i dynnu mewn coits fawr o dan bont isel i fyny at y chwarel, ac yn codi'i law yn glên ar bobol Trelech wrth fynd,' oedd cyfraniad nesaf Geini.

'Wel? Tydi o ddim mor wirion â hynny,' gwylltiodd Sabel. 'Fel 'na mae brenhinoedd.' Yn ei gwely bu'n dychmygu'r Arglwydd Penrhyn a'r Brenin yn marchogaeth yn urddasol ar gefn eu ceffylau dros y moelydd. Doedd dim dirnad beth a wnâi bonedd gwlad.

'Ella fod 'na ddarlunia gwerthfawr yn perthyn i'r Palas yn y chwarel,' cynigiodd Penri, 'a'i fod o'n dŵad i neud yn siŵr 'u bod nhw'n cael pob chwara teg.'

'Os felly,' meddai ei chwaer, 'mi geith o andros o fraw pan welith o lle mae'r dynion gwirion 'na wedi 'u rhoi nhw. Mi eith o'n gacwn wyllt ac mi fydd George y Sics yn anghofio am 'i atal deud ac yn gweiddi, "*Off with their heads*! *Off with their heads*!"

Roedd Geini wedi mynd i mewn i ysbryd y darn ac yn

cerdded yn ôl ac ymlaen ar fat yr aelwyd yn chwifio'i breichiau.

'Dyna fo!' bloeddiodd Sabel a neidio ar ei thraed. 'Wrth gwrs! Ddim George y Sics ddaru'r dynion ddeud ond—'

'*Charles the First* !' meddai Penri. 'Darlun ydi o!' a chododd yntau ar ei draed. 'Llun o Siarl y Cyntaf ar gefn ei geffyl! Ac mae'n rhaid 'i fod o'n un coblyn o fawr achos dim ond Castall Penrhyn oedd yn ddigon mawr i roi lloches iddo fo dros dro nes—'

'A dyna pam,' gwaeddodd Geini, 'maen nhw wedi gostwng y ffordd o dan y bont relwé er mwyn iddo fo allu pasio odani i fynd i fyny at y chwarel!'

Cynyddodd y cyffro fwyfwy pan aethant i ddweud wrth y ddau arall. Daeth y mapiau allan yn syth a chyn bo hir roedd Sam wedi rhesymu pa bont a olygid a'r bore Sadwrn canlynol cychwynnodd y pump ar eu ceffylau dur tua'r fan.

* * *

'Math yma o beth mae sbeis yn 'i neud, ysti,' cyhoeddodd Sabel o'r tu ôl. 'Achub y blaen ar y gelyn. Mae 'na bobol dros Ewrop a'r cylch yn gneud petha fel hyn.'

'O, ia? Ac ar 'u beics fel hyn, mae'n siŵr. A lle 'dan ni'n mynd i weld gelyn eniwé?' gwaeddodd Geini'n ôl ati.

Bu'n dipyn o siwrnai ar hyd y lôn bost i Drelech ac ni allent fynd wrth eu pwysau chwaith rhag ofn iddynt gyrraedd yn rhy hwyr. Ni wyddent ba awr o'r dydd y deuai gosgordd Siarl y Cyntaf a chychwynasent o Benmarian cyn gynted ag y goleuodd y bore hwnnw. Erbyn hyn roeddynt i gyd yn dechrau blino.

'Diolch byth!' ebychodd Geini pan welodd Sam yn rhoi'r arwydd ei fod yn troi i'r chwith oddi ar y ffordd fawr. ''Dan ni bron yna.'

Yn lle cydlawenhau dechreuodd Sabel boeni mai camsyniad oedd y cyfan ac mai arni hi fyddai'r bai. Ond daethant at y bont yn ddisymwth mewn tro yn y lôn a phan welsant beth oedd yno rhoes pawb fonllef. Roedd olion amlwg o ailwampio diweddar yn y modd y pantiai'r ffordd o dan y bont. O boptu hefyd roedd pafin solat wedi ei osod i gynnal ochrau cerrig y bont ar ôl y cafnu.

Rhoddwyd y beiciau dros y wal yn y cae ac eisteddodd y pump ar ben y wal i ddod atynt eu hunain. Efallai fod ganddynt oriau i ddisgwyl. Gallent gadw eu hunain yn ddiddan, fodd bynnag, ac nid oedd paid ar y sgwrsio a'r chwerthin. Roedd yn wahanol i fod yn y chwarel oherwydd roedd perffaith hawl ganddynt i fod yno.

Ni allai Sam fod yn llonydd yn hir ac awgrymodd eu bod yn mynd i sefyll ar y bont er mwyn gweld a oedd rhywbeth yn dod yn y pellter. Nid gwaith hawdd oedd dringo'r ochr serth drwy'r prysgwydd at y rheilffordd ond wedi cyrraedd roedd ganddynt olygfa eang o'r moelydd a chwm y chwarel. Roedd hedd canol dydd ar bopeth a gellid credu mai rhith oedd y cyfan. Daeth gwraig allan i ardd gefn un o'r tai ar ochr y ffordd fawr i weld a oedd y dillad ar y lein yn sychu, yn hollol anymwybodol o ddyfodiad brenin. Tybed oedd hi wedi gweld dynion yn tyllu ac yn chwalu wyneb y ffordd ac wedi meddwl gofyn beth a wnaent yno? A phe bai wedi gofyn, tybed a wyddent hwy'r ateb?

Syniodd Penri fod yn well iddynt symud. Peth peryglus oedd sefyll ar bont reilffordd mor gul er nad oedd yna olwg o drên. Sam, y gwyliwr pybyr, oedd yr olaf i adael. Roedd am gael un arolwg arall drwy'r binociwlars. Dringodd y lleill dros y parapet a neidio i lawr fesul un i'r llwyni dyrys islaw. Drwyddynt gallent edrych ar y ffordd oddi tanynt. Daeth gwaedd sydyn o'r rheilffordd a llamodd Sam dros y ganllaw fel pe bai'n neidio dros geffyl y gampfa, gan hyrddio'i hun ar ben y lleill. Roedd clamp o lorri'n dod yn y pellter.

Eisteddodd pob un ar ei gwrcwd yn edrych ar hyd y lôn at y troad tua'r ffordd fawr. O'r diwedd clywid sŵn injan yn tuchan. Dylai'r cerbyd ymddangos unrhyw funud. Rhaid ei fod eisoes wedi mynd heibio i'r tai. Daeth i'r golwg yn awr fesul tipyn a gwyliai'r plant y symud araf heb yngan gair. Ond pan ymddangosodd y cyfan, syrthiodd eu gwep. Roedd y rhan flaen yn tynnu cynhwysydd uchel, ac yn fawr ar ochr hwnnw roedd llun wyneb hawddgar merch ifanc. Oddi tano roedd geiriau y gellid eu darllen o bell.

'*Knight's Castile for Face Appeal*,' adroddodd Babs yn siomedig.

'Sebon, myn coblyn i!' meddai Geini. ''Dan ni wedi dŵad yr holl ffordd yma i ddim byd.'

Roedd y lorri a'i llwyth yn rhwystro'r traffig. Doedd dim byd wedi dod heibio er pan gyrhaeddodd y plant ond yn awr roedd car yn disgwyl y tu ôl iddi. Symudai ymlaen yn araf nes dod i'r golwg yn llwyr.

'*It's the tank*!' sibrydodd Sam.

Gwenodd pawb ar ei gilydd. Roedd yn amlwg yn teithio mewn gorymdaith gyda'r lorri fawr, a dyna ben ar anwiredd y sebon. Erbyn hyn gellid canfod wynebau'n craffu drwy'r gwydr gyrru ar y llwyth o'u blaenau er nad oedd modd gweld yn ddigon clir i adnabod neb. Arhosodd y plant yn amyneddgar, wedi eu hargyhoeddi'n awr fod portread Siarl y Cyntaf yn mynd heibio iddynt ar ei ffordd i'r mynydd. Erbyn hyn roedd blaen y lorri yn ddiogel o dan y bont a'r cynhwysydd tal ar fin mynd trwodd. Daliai Sabel ei gwynt achos edrychai'n debyg iawn mai cael a chael oedd hi am fod. Symudodd blaen y lorri fymryn eto gan dynnu'r gist eliffantaidd ar ei hôl. Ond dyna sŵn crafu! Nid cael a chael oedd hi am fod, ond methiant. Neidiodd y dynion allan o'r car yn eu cotiau gaberdin llaes a chantelau'u hetiau wedi'u troi i lawr. Yn eu plith, Karl Davies. Edrychodd i fyny'n bryderus at do'r bont. Roeddynt wedi camfesur o hanner modfedd!

Cadwodd y plant o'r golwg er nad oedd yn rhaid cuddio; roedd y dynion wedi llwyr ymgolli yn eu helbul. Arhosent ar y pafin newydd heb ddweud dim. Yn amlwg ni wyddent beth yn y byd mawr i'w wneud. Edrychent mor ddeallus ac eto'n ddi-ymgeledd; mor ddinesig eu diwyg ac eto'n ddi-glem. Nid oedd awel yn symud. Gwywai'r dillad ar y lein. Safai'r dynion fel delwau. Roedd fel pe bai'r Cread ei hun wedi methu â mynd yn ei flaen.

'*Let the air out of the tyres*!' gwaeddodd llais croch.

Sam oedd wedi torri ar y distawrwydd!

'*Let the air out of the tyres!*' meddai'r naill a'r llall oddi tanynt a'u lleisiau'n diasbedain o dan y bont.

Gwnaethpwyd hynny. A chrafodd a chrinsiodd y gist fawr o dan y bwa o garreg. Nid edrychodd neb i fyny at y plant. I'r orymdaith argyfyngus roedd fel pe bai'r llais wedi dod oddi uchod mewn ystyr arall yn hytrach nag o enau bachgen ysgol ymarferol. Ac ni chollodd Siarl y Cyntaf ei ben yr eildro.

PENNOD 6

Am wythnosau lawer wedyn teimlai Sabel braidd yn fflat. Roedd y cyffro wedi mynd o'i bywyd. Y llynedd aethai newydd-deb yr ysgol â'i bryd ac yn dilyn hynny holl ddirgelwch y lluniau. Yn awr daeth dyddiau llwm wedi i'r darlun olaf gael ei hebrwng i'w noddfa. Bu hwnnw'n ddiwrnod hynod, ond waeth addef nad ysbïo ar y gelyn a wnaent o'r bont. Edrychai'r dynion yn bobl gyfrifol; braidd nad oedd eu pryder am y paentiadau'n dweud ar eu hiechyd.

Syllai'n hiraethus tua'r mynyddoedd o'r ysgol. Anelai at ddesg ger y ffenestr wrth symud o'r naill wers i'r llall ac ar ei hadroddiad ddiwedd y tymor fe'i cyhuddid o fod yn 'freuddwydiol'. Un noson cafodd hunllef fod drysau mawr y chwarel wedi cau arni a'i bod yn cerdded rhwng y portreadau yn y cytiau. Boneddigion brodiog yn rhythu'n drahaus ar bob llaw a thrwy'r amser roedd yn ymwybodol o guriadau'r peiriant yn y twnnel. Ffromodd y Brenin i lawr arni o'i uchelder ond, fel roedd ei farch ar fin ei bwrw i'r llawr, deffrôdd, a chlywai ei chalon yn curo o'i mewn.

Er nad oedd yn hèth hir fel y llynedd, roedd eira ar gopaon Eryri. Edrychent yn ddiddos o dan eu gorchudd ac yn eu plith yn rhywle roedd mynydd y trysor. Unwaith pan oedd yn y sinema efo Geini gwelodd adfeilion Eglwys Gadeiriol Coventry a gafodd ei bomio mor enbyd ac yn y tywyllwch meddyliodd am gadeirlan y llechi ymhell o gyrraedd difaol y gelyn.

Yn ôl y sôn, fodd bynnag, nid oedd Penmarian a Llanadda yn hollol ddiogel. Clywsai ei rhieni'n siarad gyda'i gilydd am y posibilrwydd y byddai'r Almaenwyr yn gollwng bomiau ar ogledd Cymru er mwyn ysgafnhau llwyth eu hawyrennau wrth ddychwelyd o gyrch-awyr ar Lerpwl. Ni allai ddeall sut yn y byd y deuai awyrennau'r gelyn dros awyr Penmarian wrth hedeg o Lerpwl am adref. Aeth i'r stydi'n ddistaw bach i astudio'r atlas i weld a oedd yr Almaen ble roedd hi wastad wedi meddwl ei bod. Ni chafodd oleuni ar ei phenbleth, ond daeth prawf, er hynny, yr hedai'r gelyn o Lerpwl i rywle dros bennau pobl Penmarian pan udai'r seiren ambell waith ac âi'r tri ohonynt i'r sbens i mochel.

Fel yr âi'r gaeaf yn ei flaen bron na ddaethai Sabel i feddwl mai chwedl oedd ogof y chwarel a'i chynnwys. Caewyd y drysau ac aethai'r trysor y tu hwnt i'w chyrraedd a phan ddarllenodd Miss Parry am Ogof Arthur roedd stori'r bardd yn taro tant ynddi.

Cwsg y brenin a'i farchogion
Yn yr ogof uthr ei maint,

darllenai llais swyngyfareddol yr athrawes. Llithrodd i fyd breuddwydion nes daeth cic o'r ochr. Pwyntiodd Geini at fwstás y bardd yn y llun ar wyneb-ddalen y gyfrol.

'Mae o'n edrach yn fwy fel rhingyll na bardd, wyt ti ddim yn meddwl?'

* * *

Ambell dro deuai Babs i gael te ym Mryn Glas. Y tro cyntaf iddi ddod teimlai Sabel braidd yn nerfus. Gobeithiai na fyddai ei mam yn mynd i ormod o drafferth.

'Cofiwch, peidiwch â gwneud *fuss*,' gwaeddodd wrth fynd i lawr yr ardd am yr orsaf y bore hwnnw.

'Be wyt ti'n ddeud?'

'O dim ots.'

Sut y gallai esbonio wrth ei mam nad oedd Mrs Elton yn gybola efo lliain bwrdd ac nad oedd arni eisiau i Babs gael ei thrin fel blaenor. Hoffai ei mam osod y bwrdd yn ddel pan ddeuai rhywun i de. Tynnai'r llestri gorau o gwpwrdd y dreser a rhoi sglein ar y llwyau te a'r ddysgl jam. Achlysuron pleserus oedd y rheini, er hynny, a hithau'n cael rhwydd hynt i wrando ar sgwrs pobl mewn oed.

Fe'i siomwyd ar yr ochr orau pan gyrhaeddodd adref a gweld pot jam ar y bwrdd. Aethai ei mam i'r drafferth i wneud crempog wy-powdr ond nid oedd y bwrdd yn gweiddi 'welwch-chi-fi'.

'I be oeddat ti'n edrych ar y pot jam pan ddoist ti i mewn?' gofynnodd Mrs Felix pan aeth Sabel â'r llestri drwodd i'r gegin fach. 'Yli, 'ngenath i, dydw i ddim yn meddwl dy fod ti'n sylweddoli fod 'na ryfel ymlaen. Ac mae crafu jam allan o'r pot i'r ddesgil ac wedyn 'i grafu o oddi ar y ddesgil yn ôl i'r pot yn wastraff o'n jam prin ni.'

'Iawn,' meddai Sabel gyda gwên.

Bu'r te'n llwyddiant a theimlai'n fwy cartrefol gyda Babs o'r herwydd. At hynny, roedd Babs wedi sibrwd ar y ffordd i fyny o'r stesion fod ganddi rywbeth diddorol i'w ddweud wrthi pan gaent amser i fod ar eu pennau'u hunain.

Ni ddaeth cyfle teilwng o'r neges yn nhyb Babs nes oedd Sabel yn ei danfon adref a bu'r aros yn rhan o wefr arbennig y prynhawn. O'r diwedd daethent yn rhydd o'r stydi lle roedd Babs wedi picio i ffarwelio â Mr Felix ac wedi loetran hanner awr dros y llyfrau ar y silffoedd a'r llinellau o gynghanedd yn tyfu o'r teipiadur.

* * *

'*It's that man again,*' meddai Babs pan oeddynt allan ar y lôn.

Dyna'r ymadrodd cêl a ddefnyddiai bellach wrth gyfeirio at ei chymydog. Cyflymodd calon Sabel. Efallai nad oedd popeth drosodd wedi'r cyfan. Ond siomedig braidd oedd newyddion Babs ar y dechrau.

Roedd wedi gweld y tanc ar ddreif Sefton Villa.

Hefyd, meddai'n bwyllog ar ôl saib, he-fyd, roedd wedi gweld Karl yn mynd â rhywbeth fel darlun allan ohono ac yn mynd ag o i'r tŷ.

Teimlodd Sabel yr hen asbri'n dychwelyd.

Roedd gan Babs goeden arbennig y gallai weld y drws nesaf yn glir ohoni ac wedi cyrraedd Glanrhyd arweiniodd ei ffrind ati yng ngolau'r lloer. Roeddynt wedi troi i'r dde i ganol y llwyni yn lle mynd i fyny'r dreif at y tŷ. Haliodd Babs ei hun i'r gangen gyntaf yn syth bin. Edrychodd Sabel ar wadnau'r traed yn siglo cyn iddynt gymryd y cam nesaf. Mae hyn am fod yn dipyn o gontract, meddyliodd. Doedd hi'n dda i ddim gydag Ymarfer Corff a'r cae hoci oedd ei chas le, er y dyheai am gael brasgamu arno fel y gwnâi Babs, a'i gwallt byr yn neidio a'r padiau mawr gwyn hynny'n fflapio'n ôl a blaen yn erbyn ei phenliniau.

Dim pwynt dod i fyny, rhybuddiodd Babs o'r brigau. Doedd dim posib gweld dim. A chymerodd Sabel hi ar ei gair.

Gwell dod rywbryd eto, ychwanegodd wrth ddisgyn i'r ddaear, a dod â Geini efo hi. Rhyw brynhawn fel roedd hi'n dechrau nosi fyddai orau. Oherwydd nad oedd dail ar y goeden ar hyn o bryd gellid canfod ysbïwyr yn hawdd o Sefton Villa yng ngolau dydd.

Aeth Babs at y tŷ a chychwynnodd Sabel i lawr y dreif. Wrth i'r drws agor clywodd lais Mrs Elton.

'*Ah, there you are, darling.*'

'*Mummy, Sabel's father writes poetry*!'

'*Oh, what fun*!'

A chaewyd y drws.

* * *

'Ddoi di ryw noson?'

'I le?'

'Wel, i ddringo'r goedan, siŵr iawn.'

'I be? I sbecian ar Karl? O rho'r gora iddi, Sab, 'nei di?'

Cerddai'r ddwy ffrind drwy'r tywyllwch i nôl sglodion a physgod i swper, bob un a'i dysgl mewn papur newydd o dan ei braich. Edrychai Sabel ymlaen at swper nos Sadwrn a diolchai i'r Doctor Radio am wneud y fath wledd yn barchus. Byth er pan oedd hwnnw un bore yn ei ddull di-flewyn-ar-dafod wedi ei alw'n *first-class grub* roedd wedi cael mynd yn rheolaidd efo Geini.

'Smae, genod bach?' meddai llais Jethro o'r düwch. ''Dach chi am ddŵad am beint efo'r Cyrnol a fi?'

Roeddynt gyferbyn â'r Bron Wylfa a daeth arogl cwrw drwy'r awyr wrth i'r ddau lymeitiwr cyson fynd i mewn i'r dafarn. Gwelid hwy'n diflannu drwy'r llenni trwchus a rwystrai'r golau rhag dangos yn y stryd pan agorid y drws.

'Be sy 'na i'w weld o'r goedan, p'run bynnag?' gofynnodd Geini gan gerdded yn ei blaen. 'Miloedd o *Germans* yn gŵs-stepio ar lawnt Sefton Villa?'

Mewn distawrwydd cyrhaeddwyd y gynffon hir a estynnai o ddrws y siop sglodion i'r lôn. Gallent ddychmygu'r rhawio a'r lapio prysur yn mynd ymlaen y tu mewn. O dipyn i beth byddent ar y pafin, yna ar y stepan isaf ac wedyn yn taro'u dysglau ar ben pellaf y cownter uchel. Roedd rhywbeth yn gysurlon mewn cyrraedd y nod nesaf o hyd mewn ciw.

* * *

Ar ei phen ei hun yr aeth Sabel i Lanrhyd un noson i roi cynnig ar y goeden. Dechreuodd Babs ddringo'n ddeheuig. Roedd yn amlwg iddi wneud hynny droeon. Petrusodd Sabel. Ofnai nad oedd am ddisgleirio yn y maes hwn a fflachiodd o flaen ei llygaid unwaith eto y darlun o Babs ar y cae hoci yn ei harfwisg. Ond profodd chwilfrydedd yn sbardun effeithiol a synnodd weld ei hun ar gangen braff mewn dim amser bron. Gwelent y drws nesaf yn glir a'r ffenestr fawr a oedd bellach yn ei lle. Ar ongl yn groes i'r ffenestr roedd darlun yn gorffwys ar stondin pren, ac yn craffu o'i flaen roedd Karl Davies. Toc symudodd i gau'r llenni. Roedd yn dechrau nosi.

Yn yr wythnosau wedi hyn daeth Sabel yn gyfarwydd iawn â'r goeden yn y cyfnos. Ar y cychwyn aethai yno liw dydd pan oedd Karl i ffwrdd, fel yr oedd weithiau, er mwyn cael ymarfer dringo. O'r brig câi gip o'r môr lle roedd llongau rhyfel llwyd ar y gorwel. Gweithiai Karl yn ddiwyd pan oedd yno. Treuliai oriau gyda'r llun, yn ei fraidd-gyffwrdd â rhywbeth ac yna'n camu'n ôl yn feirniadol. Bu Sabel yn ceisio'i wylio o'r lôn wrth fynd heibio ond doedd dim modd gwneud hynny oherwydd y coed a'r tro yn y dreif. Byddai unrhywun a ddigwyddai fynd am y tŷ yn meddwl mai difyrru'i hun yn poetsian efo brws paent yr oedd ond trwy'r sbienddrych o'r goeden gellid gweld nad brws oedd ganddo ond rhywbeth tebyg i wadin, fel pe bai'n glanhau llun yn hytrach na gwneud un. Ac nid yr un darlun mohono bob tro, sylwodd Sabel. Weithiau cymerai Karl seibiant, a safai yn y ffenestr. Edrychai'n welw fel ysbryd. Bryd hynny tosturiai wrtho; dro arall teimlai'n ddig am nad oedd ei hamheuon amdano'n cael eu gwireddu. Roedd ei meddwl fel siglen. Twt, waeth cau pen y mwdwl ar y cyfan.

PENNOD 7

'Mae'r Mona Lot 'na'n atgoffa fi ohonat ti, Sab,' meddai Geini wrth wrando ar y weiarles un nos Iau. 'Ti wedi bod yn rêl miseri'n ddiweddar.'

Roeddynt yn mwynhau eu hoff raglen a'r ddwy'n teimlo erbyn hyn yn dipyn o awdurdod ar fyd y comedi a chlebar cyflym difyrwyr. Yn y gwanwyn roedd haid o adar brithion wedi ymfudo i Lanadda, darlledwyr a diddanwyr Llundain a oedd wedi ffoi i ddiogelwch gogledd Cymru. Roedd tai'r cylch hyd at Benmarian yn rhoi lloches iddynt a neb llai nag arweinydd y gerddorfa yn llenwi parlwr Mrs Iorwerth. Cyfeiriai Geini ato fel 'Charlie' o'r cychwyn cyntaf ac mewn byr amser roedd ganddi stôr o hanesion difyr am actorion a cherddorion o fri. Yn yr ysgol, yn nhyb Sabel, doedd dim rhaid i Geini roi ei chap i lawr hyd yn oed i blant Llanadda a oedd wedi bod yn, ia, yn y neuadd o ble'r âi'r naill sioe boblogaidd ar ôl y llall dros yr awyr.

Ffefryn y ffrindiau oedd *Itma.* Chwarddodd Babs pan glywodd yr enw oherwydd safai'r llythrennau am yr union eiriau a ddefnyddiai hi am ei chymydog. Roedd yn rhaid gwrando bob wythnos a daeth cymeriadau'r sioe, fel Colonel

Chinstrap a Mona Lot, a'u dywediadau bachog yn rhan o'u bywyd beunyddiol.

'Ti'n gwbod be, Mona Lot?' meddai Geini eto.

'Sh! Gwranda!' torrodd Sabel ar ei thraws. Roedd y rhaglen yn dirwyn i ben ac ar ddiwedd y llith o gyfranogwyr clywyd enw preswylydd y parlwr. Gwenodd y ddwy ar ei gilydd. Dyma beth oedd enwogrwydd.

'Hei, ti'n gwbod be?' dechreuodd Geini drachefn wrth ddiffodd y radio.

Roedd Sabel wrth ei bodd pan glywai Geini'n dechrau'n addawol fel hyn.

'Be?'

'Cyrnol ni ydi Colonel Chinstrap, ysti.'

'Be, fo sy'n cymyd rhan yn y sioe?'

'Naci siŵr, ond oddi wrth y Cyrnol y cawson nhw'r syniad i'r boi 'na ar y weiarles ddeud "I don't mind if I do" o hyd, achos bob tro mae'r teips Llundain 'na'n cynnig wisgi neu rywbath iddo fo yn y Bron mae'r hen Gyrnol yn deud hynna.'

'Wir yr?'

'Wel, os nag wyt ti'n coelio, beth am fynd yno i weld nos Sadwrn ar y ffordd i'r siop *chips*?'

'Mynd i mewn i dŷ tafarn!'

'Wel, na, ddim i mewn yn hollol. Sbecian o'r tu ôl i'r cyrtans 'na. Jest y math o beth wyt ti'n giamstar arno fo, yntê? Tyrd o'na.'

'Ew, wn i ddim. Ga' i weld.'

* * *

Nos Sadwrn roedd dau bâr o lygaid yn cael cip drwy lenni melfed y Bron. Prin oedd y cwmni hyd yn hyn ond eisoes roedd yr awyr yn fyglyd a'r Cyrnol yn llenwi ei gadair. O gwmpas y bar safai cylch o Saeson, yn ferched a dynion, a Charlie yn eu mysg yn ei gôt camel a'i het frown ar sgiw; am y llenni â'r ysbïwyr roedd sgwrsio pobl leol i'w glywed ac ambell gyfarchiad yn cael ei daflu o'r naill griw i'r llall fel rhwng cwsmeriaid rheolaidd; wrth y bwrdd bach yn y gornel bellaf ymgomiai dau ddyn nad ymddangosai'n rhan o ddim un gwmnïaeth. Roedd y naill a'i gefn tuag atynt a dim ond ei wallt coch a ddangosai uwchben y gadair ond gwelent y llall yn glir. Wyneb hirfain, crafat sidan am ei wddw yn lle tei a thrywsus melfaréd gwyrdd. Tybiai Sabel y perthynent i garfan liwgar y BBC ac eto nid oedd Charlie yn eu harddel. Daliai ef i sefyll wrth y bar gyda'i gyd-weithwyr, a'i stori'n mynd i lawr yn dda gyda'r merched powdr a phaent.

Ar hynny troes Charlie at y Cyrnol, '*Whisky, Colonel?*'

'*I don't mind if I do*,' oedd yr ateb bloesg.

Chwarddodd Sabel a Geini nes colli pob rheolaeth arnynt eu hunain.

'Hei, be 'dach chi'n neud yma?' gofynnodd Jethro o'r tu ôl iddynt. 'Ac wedi meddwi'n barod! Aros i mi ddeud wrth dy dad, Sabel Felix.'

Ni chafodd Sabel fawr o flas ar y sglodion y noson honno a chynyddodd ei theimlad o euogrwydd pan glywodd ei mam yn sibrwd 'Hogla diod' wrth ei thad yn hwyrach o'r tu ôl i ddrws caeedig y stydi.

* * *

Roedd dweud yr hanes yn rhan o'r sbort fore Llun ar y trên, fodd bynnag, diwrnod pen blwydd Geini. Edrychid drwy'r ffenestr wrth nesáu at bob gorsaf ar y daith er mwyn sicrhau na ddeuai neb i mewn i dorri ar yr hwyl o roi ac agor cardiau ac anrhegion. Diwrnod cyffrous; yn fwy felly gan ei fod yn cychwyn cyfres o ddathliadau. Y mae bywyd yn llawn o gyd-ddigwyddiadau ac yn fuan ar ôl i Sabel a Geini a Babs ddechrau bod yn ffrindiau cawsant y boddhad o ddarganfod eu bod ill tair yn cael eu pen blwydd ar yr un dyddiad, nid yn yr un mis, ond un mis ar ôl y llall. Iddynt hwy, nid cyd-ddigwyddiad mo hyn ond llaw ddigamsyniol ffawd yn eu tynnu at ei gilydd.

'Hei, mae 'na ddau ddyn ar y platfform!' gwaeddodd un o'r gwylwyr yn awr fel y deuent at orsaf Rhaeadr. 'Brysiwch, tynnwch y bleinds i lawr!'

'*Oh, bad luck*!' ebychodd Babs wrth ufuddhau a chwipio'r bleind i lawr dros y ffenestr fach wrth ei sedd hi ar ochr y coridor, a sgrialodd Sabel dros draed a phapur llwyd a llinyn i gyrraedd bleind y drws ei hun ond yn rhy hwyr. Daeth wyneb yn wyneb drwy'r gwydr â dyn tal a oedd wedi dechrau llithro'r drws yn agored.

Niwsans glân, meddyliodd Sabel wrth suddo'n ôl i'w sedd a helpu Geini i stwffio'i hanrhegion i'w bag ysgol. Prin y gwelid neb byth ar stesion fach Rhaeadr. Penderfynodd wneud i'r dyn deimlo'n annifyr drwy rythu, nid arno'n hollol, ond ar gorun ei het er mwyn gwneud yn hollol amlwg iddo ei fod yn cael ei anwybyddu. Ond cyn hir tynnodd y dyn ei het a'i rhoi i fyny ar y rhesel rwyllog efo hetiau duon y merched. Sylwodd Sabel ar y gwallt coch a ddeffrôdd ryw atgof ynddi yn rhywle. Hoffai wallt coch bob amser ac yn erbyn ei hewyllys dechreuodd ei chalon dyneru tuag ato, ond wrth ailosod ei threm ffroenuchel arno sylwodd am y tro cyntaf ar rybudd fframiedig ar wal y cerbyd uwch ei ben.

Be on Your Guard, darllenodd fel y rhuodd y trên i mewn i'r twnnel. Roedd cynghorion amserol o'r fath wedi cymryd lle'r lluniau a arferai addurno cerbydau trên. Ar un adeg ceid ffotograff mewn ffrâm hirsgwar uwchben pob sedd, i hybu twristiaeth. Golygfeydd sepia a gwyn o'r Gleneagles Hotel a Southport a llefydd felly. Pan ganai yn y capel am fynd i olwg ardaloedd sydd well, am ryw reswm mynnai'r Gleneagles Hotel wibio o flaen ei llygaid. A gwyddai am Southport yn iawn oherwydd yno'r aent ar y trip Ysgol Sul bob haf. Bellach fe dynnwyd y lluniau i lawr rhag ofn i'r gelyn fedru adnabod ble roedd, mae'n debyg, pan laniai i oresgyn y wlad. Pe digwyddai bigo ar draeth pell Southport fyddai'r creadur fawr o feddwl bod ganddo beth wmbrath o waith trampio tros y tywod cyn y byddai'n eistedd efo'i banaid mewn caffi yn y dref, ac eitha gwaith hefyd, synfyfyriai.

Be on Your Guard, darllenodd drachefn wrth ddod allan o'r twnnel, gan dderbyn neges ffawd. Edrychodd ar y dyn. Erbyn meddwl, roedd ei aeliau trwchus yn bendant yn rhy agos at ei gilydd.

'Tyrd, helia dy betha,' meddai Geini. ''Dan ni bron yn yr ail dwnnal,' ac wrth fynd i'r gwyll unwaith eto rhoes bwniad i

Sabel. 'Hwnna oedd yn y Bron nos Sadwrn, dwi'n meddwl,' sibrydodd.

Digwyddent fod yn cerdded y tu ôl iddo i fyny'r grisiau o'r trên a phan ymunodd y trywsus gwyrdd ag ef fe wyddent fod Geini'n iawn. Ar ben y stepiau, fodd bynnag, wrth fynd am allan dan orchudd y bont fe dynnwyd sylw'r genethod at ddigwyddiad arall. Roedd rhodfa'r bont wedi ei rhannu'n ddwy, un ochr ar gyfer teithwyr a'r llall ar gyfer y gwaith o gludo paciau a nwyddau rhwng y tair lifft a oedd wedi eu gosod un ar bob pen ac un yn y canol. Rhwng y ddwy ran roedd barrau a netin, a'r ochr arall i'r ffens hwnnw'n awr gwelid Karl Davies yn cerdded gyda swyddogion rheilffordd pur bwysig yr olwg yn goruchwylio cludo parsel i'r lifft ganol a ddisgynnai i blatfform Llundain.

I fan hyn roedd o'n dod, felly, meddai Babs. Roedd wedi ei weld yn gadael Sefton Villa yn y tanc y bore hwnnw pan oedd ar ei ffordd at y trên.

Heb golli amser cychwynnodd y tair am y stepiau canol a sefyll i sbecian yn nes i lawr drwy ochrau gwydr y grisiau. Ar hyn ymddangosodd Karl a'i griw o'r lifft yn y gwaelod a rhoddwyd y paced fflat yn ofalus yn fen y giard. Caewyd y drws a'i gloi a phrysurodd Karl ac un arall i mewn i'r cerbyd nesaf. Clywyd y chwiban ac roedd y cyfan drosodd mewn ychydig funudau, ond nid cyn i'r merched sylwi bod y ddau ddyn ar y platfform a'u bod hwythau wedi gwylio popeth.

Anghofiwyd amdanynt bron nes iddynt eu gweld drachefn, fis yn ddiweddarach, ar ben blwydd Babs y tro hwn, ac yn rhyfedd iawn ymddangosodd Karl yntau ar rodfa'r bont gyda'i warchodlu glas tywyll fel cynt. Meddyliai'r genethod fod hyn yn fwy na chyd-ddigwyddiad a bod rhywbeth yn amheus ynglŷn â'r ddau ddyn. Ni pherthynent i griw Charlie, fel y profodd yr olygfa yn y Bron, ac nid oedd Karl yn eu harddel chwaith. A beth oedd hwnnw'n ei wneud yn mynd â pharsel i Lundain? Ond codi bwganod oedd hyn i gyd yn ôl y bechgyn.

Gwahoddwyd Geini a Sabel i gael te pen blwydd yng Nglanrhyd ar y Sadwrn canlynol ac roedd Mrs Elton am eu tretio i fynd i weld *Gone with the Wind* yn y Luxor wedyn. Bu yn Llundain am rai dyddiau a newydd ddychwelyd yr oedd hi. Clywid hi'n canu'r piano wrth i Geini a Sabel nesáu at y drws a chawsant gip ar ei breichiau tonnog yn ymestyn yn feistraidd dros y nodau.

'*She thinks she's Myra Hess,*' meddai Babs wrth agor y drws.

Cyn i Sabel allu penderfynu a oedd am ddangos ei hanwybodaeth, gwthiodd Babs hwy i'r gegin a chau'r drws yn ofalus. Roedd yn amlwg fod ganddi ryw newydd. Cymerodd yn ganiataol eu bod yn gwybod mai pianydd oedd Myra Hess a sibrydodd fod ei mam wedi bod yn gwrando arni'n perfformio yn Llundain. Torrwyd ar weddill yr hanes gan ddyfodiad Mrs Elton. Cododd Geini ei haeliau ar Sabel, cystal â dweud '*So*?' yn ddigon cwta.

'*How was London*?' gofynnodd Sabel wrth eistedd i lawr. Roedd ei mam wedi ceisio'i dysgu i ddangos diddordeb mewn pobl a synnodd mor hawdd y llithrodd y cwestiwn ystrywgar oddi ar ei gwefusau.

Atebodd Mrs Elton fod eu hen gartref yn dal i sefyll a theimlodd Sabel gywilydd ohoni'i hun. Bron bob dydd yn awr ar y newyddion roedd hanes am ddifrod y bomiau.

Ond roedd pethau anhygoel yn dal i fynd ymlaen, ychwanegodd Mrs Elton. Myra Hess, er enghraifft, er gwaetha'r dinistr o'i chwmpas, yn canu'r piano mor hyfryd bob awr ginio yn y Galeri.

'*Gallery*?' gofynnodd Sabel.

'*Yes, in your Trafalgar Square, Sabel,*' a gwenodd Mrs Elton arni.

Yn sydyn fe'i clywai ei hun yn gofyn a fu hi'n gweld y paentiadau hefyd tra oedd yno. Hanner-disgwyliai'r gic a gafodd o dan y bwrdd gan Geini ond daliodd i edrych ym myw llygad Mrs Elton. Roedd yn rhaid iddi gael cadarnhad mai'r lluniau hynny oedd dan y mynydd.

Na, doedd dim byd yno, atebodd mam Babs, a byddent mewn perygl mawr pe baent achos roedd rhan o'r adeilad eisoes wedi ei chael hi. Yn rhyfedd iawn, ychwanegodd, wrth iddi wrando ar fiwsig y piano fe dynnwyd ei sylw gan ffrâm euraid anferth, hollol wag, ar y wal ym mhen draw'r stafell ac ni allai lai na meddwl i ble'r aethai'r darlun enfawr a ddylai fod ynddo.

Disgynnodd distawrwydd dros y gegin nes i Geini wneud ymdrech i lenwi'r bwlch.

Oedd yno ddim un darlun o gwbl? gofynnodd.

Dim un, ategodd Mrs Elton gan ddal platiad o frechdanau o'u blaenau a dechrau ar un ei hun pan na chafodd ymateb ganddynt.

'*But they were expecting one*,' meddai gan ddal i gnoi.

I Sabel roedd fel pe bai rhywun wedi taro cord trwm ar y piano.

Dechreuodd Mrs Elton dywallt cwpanaid o de iddi'i hun cyn mynd ymlaen, heb sylweddoli bod aros mawr am ei geiriau nesaf.

Wrth fynd drwy'r cyntedd, meddai o'r diwedd, gwelodd hysbysiad yn cyhoeddi *Painting of the Month* a saeth yn pwyntio at un o'r stafelloedd. A! Mae rhywun yn rhywle wedi paratoi math arall o ddihangfa i ni o'r erchylltra o'n cwmpas, dywedodd wrthi'i hun a . . .

Stopiodd i droi'i the a chymryd llwnc.

Math arall o ddihangfa? pendronodd Sabel. Chwyrlïai'r geiriau yn ei phen. Doedd Mrs Elton byth yn siarad i lawr â nhw. Roedd hynny'n beth braf, ac eto . . .

'*And*?' Torrodd llais Babs ar draws ei meddyliau, a thinc braidd yn ddiamynedd yn y gair.

O, meddai Mrs Elton, gan roi'i chwpan i lawr ar y soser, roedd wedi taro'i phig i mewn i'r stafell wrth fynd heibio a sylwi bod arddangosfa wedi ei pharatoi yno, popeth wedi ei osod yn barod . . . popeth ond y llun ei hun. Safai amryw o ddynion o gwmpas fel pe baent yn ei ddisgwyl. Unrhyw funud, yn ôl pob golwg, byddai'n gwneud entrans dramatig.

* * *

Wrth dyrru allan yn ddagreuol o dywyllwch rhamantus y Luxor yn ddiweddarach gwelsant Karl yn dod i lawr y grisiau o'r seddau drud a chafodd Babs ei gwmni i gerdded adref.

'Ysti be, mae o'n reit debyg i Ashley Wilkes,' meddai Geini. 'Wyt ti ddim yn meddwl? Na, fasat ti byth yn cytuno, wrth gwrs. Mi roedd dy wynab di'n bictiwr pan welist ti o'n dŵad tuag aton ni, yn union fel petai o'n dwyn llunia yn lle edrach ar 'u hola nhw.'

* * *

Cafodd Sabel dipyn o fraw un prynhawn wedi hynny wrth gerdded adref o'r ysgol. Gwelodd Karl yn dod allan o Fryn Glas ac yn mynd i mewn i'r car bach du roedd yn ei gadw'n ddiweddar at iws personol. Ar garreg y drws yn codi llaw arno roedd ei thad a'i mam. Mae'n rhaid ei fod wedi ffeindio lle roedd hi'n byw ac wedi dod i gwyno amdani'n ysbïo o'r goeden neu'n gwgu'n amheus arno. Drychwch, Mr a Mrs Felix, mae gennych ferch ddrwgdybus, fusneslyd iawn ac mae'n rhaid rhoi stop arni. *Auf Wiedersehen*!

'Jethro oedd wedi sôn wrtho fo,' clywai ei thad yn esbonio wrth droi am y tŷ gyda'i mam.

Heb os, roedd amdani'n awr am lawer rheswm! Ond roedd y ddau'n gwenu pan gerddodd yn betrusgar i mewn i'r gegin.

'Daear annwyl, ydi hi'n hynna o'r gloch? A dim te'n barod iti, 'raur,' meddai ei mam. 'Dy dad wedi bod yn rhoi gwers Gymraeg i un o'n ifaciwis ni. Jethro wedi bod yn gneud rhyw waith iddo fo ac . . . Wyt ti'n teimlo'n iawn?'

Eisteddodd Sabel i lawr. 'Pwy oedd o felly?'

'Dyn ifanc neis iawn,' meddai ei mam wrth ddechrau gosod y bwrdd. ''I dad o dras Cymreig, medda fo, ac mae o wedi bod yn rhyw lun o ddysgu ers tro.'

'Rhyw lun? Mae o'n dipyn o giamstar arni, 'ngenath i. Dim ond practis mae o eisio.'

'Ia, debyg,' atebodd ei mam. 'Davies ydi 'i enw fo, Sabel—Karl Davies.'

'Swnio'n hannar *German* i mi.'

'Mi rwyt ti'n iawn,' meddai ei thad. ''I fam o'n Almaenes a'i dad yn Gymro, wedi ffoi o'r Almaen rai blynyddoedd cyn y Rhyfel pan oedd hwn yn fachgen reit ifanc.'

'Be mae o'n neud yn Penmarian?'

'Wel, gymeris i'n ganiataol rywsut mai un o weision sifil y Majestic oedd o, er na ddwedodd o ddim chwaith, a wnes inna ddim holi. Mi ddeellis 'i fod o'n dipyn o artist—yn 'i oriau hamdden, mae'n debyg—achos mi gymerodd ddiddordeb yn y llyfrau celf sy gen i yn y stydi. Ac mi roedd o hefyd yn gwybod yn o lew am y Coleg yn Llanadda, on'd oedd?' meddai gan droi at ei mam.

'O, mi gawn ni wybod y cyfan ryw ddiwrnod i ti,' ebe Mrs Felix. 'Peidiwch â holi ac mi gewch chi wybod mwy, meddan nhw.'

'Mi ddweda i gymaint â hyn wrthot ti, Sabel,' meddai ei thad yn smala dros ei sbectol. 'Wnaeth o mo'n nharo i fel un o sêr *Itma*, beth bynnag.'

Gwenodd Sabel yn anesmwyth. Teimlai'n euog ei bod yn cogio fel hyn, yn union fel petai'n cymryd rhan mewn drama yng Nghyfarfod Llenyddol y capel. Wedi methu cyfaddef ei bod wedi ei weld yn nhŷ Babs! Ond ofnai y byddai'r llif-ddorau'n agor pe dechreuai gyffesu hyd yn oed y peth lleiaf.

PENNOD 8

Edrychai Sabel ymlaen at ei phen blwydd, nid yn unig am y byddai wedi cyrraedd ei harddegau o'r diwedd fel ei ffrindiau ond hefyd oherwydd y disgwyliai gael prawf pendant fod Karl Davies yn mynd â darlun i'r Oriel bob mis i godi calon pobl Llundain. Bu stori Mrs Elton bron yn ddigon i ddangos hyn, wrth gwrs, a hedodd ei meddwl yn ôl at y te cyffrous hwnnw. Bu hen siarad rhwng y tair ar y ffordd i'r Luxor wedyn. Gobeithiai Geini na fyddai Karl yn ddigon gwirion i fynd â Siarl y Cyntaf efo fo'r mis nesaf a bu cryn dipyn o hwyl yn dynwared y bustachu a'r strach pe bai. Ond wedi dod atynt eu hunain cytunwyd mai dim ond darluniau hawdd eu cludo a ddewisid, yn ôl pob tebyg.

Ar fore'r pen blwydd safai Mr Annwyl ym mhorth gorsaf Penmarian wrth i Geini a Sabel gerdded i lawr yr allt, fel pe bai'n aros am rywun.

'Ew, chwara teg, mae'n rhaid 'i fod o'n gwbod 'i bod hi'n ben blwydd arnat ti, Sab,' meddai Geini.

Nid edrychodd y gorsaf-feistr arnynt, dim ond tynnu ei wats o boced ei wasgod.

'Wel, dyna fo, dyn dŵad ydi o,' esboniodd Geini. 'Dydi o ddim yn nabod pobol bwysig Pen.'

Llanwodd yr orsaf yn fuan fel y deuai'r plant o bob cyfeiriad at y trên, yn eu mysg Babs, a'i gwynt yn ei dwrn, gyda'r newydd fod y tanc yn aros ar ddreif Sefton Villa. Edrychai'n addawol fod eu theori'n gywir. Roedd yn hwyl gwybod busnes pobl mewn oed. Teimlai Sabel yn hapus wrth wylio'r mwg gwyn yn chwifio yn yr awel fel y dynesai'r trên ar hyd ochr y môr. Roedd yr arholiadau drosodd a gwyliau'r haf ar fin dechrau ac yn fuan, yng nghlydwch eu cerbyd, byddai'r anrhegion bach twt yn cael eu tynnu allan o fagiau ysgol ei ffrindiau.

Roeddynt wrthi'n trefnu eu hunain yn eu seddau pan aeth gorymdaith heibio i'r ffenestr ac ar hyd y platfform, a oedd bellach yn wag. Ar y funud olaf fel hyn roedd Karl yn brasgamu at fen y giard. Y tu ôl iddo roedd dau o staff yr orsaf yn cludo parsel ar droli a Mr Annwyl wrth eu cwt yn rhoi sylw tywysogaidd i'r cyfan. Yna stemiodd y trên yn llyfn a thrwm heibio i'r fynedfa lle y cafwyd cip ar y tanc wedi ei gefnu at y pafin a'r gyrrwr swyddogol ar fin mynd i mewn iddo. Roeddynt yn amlwg yn amrywio'r trefniadau cludo a Mr Annwyl yn awr yn cael chwarae'i ran yn y daflen amser. Dim rhyfedd ei fod mor fawreddog y bore yma.

Edrychodd y tair ffrind ar ei gilydd ond heb ddweud gair oherwydd presenoldeb y genethod eraill a oedd y tu allan i'r cylch cyfrin ac roedd y posteri ar furiau'r orsaf yn dal i'w siarsio i ddal eu tafod. Ni allent chwaith gysylltu â'r bechgyn am fod y drws ar glo rhyngddynt a phen pella'r trên. Ar hyd y daith roedd Sabel yn ymwybodol fod y trên yn cario rhywbeth gwerthfawr iawn y bore hwnnw.

Rhoes y ffrindiau eu pennau allan o'r ffenestr wrth ddod at Raeadr—doedd dim byd amheus mewn gwneud hynny—ond roedd yr orsaf fach honno'n hollol wag. Doedd dim sôn am y ddau ddyn yn Llanadda chwaith, lle y disgwyliai mintai fechan ddwys am Karl i'w hebrwng at y lifft. Gwyliodd y plant ef drwy'r netin wedyn yn dod allan o'r lifft ar ben y bont ac yn mynd ymlaen at y lifft ganol i fynd i lawr am y trên cyflym i Lundain, fel y ddau dro blaenorol. Rhoddwyd y darlun yng ngofal y giard a chwifiodd hwnnw ei faner werdd.

Disgwylid canlyniadau rhai o'r arholiadau y diwrnod hwnnw ac wrth nesáu at y brics coch ar ben y bryn pylodd peth o asbri'r eneth ben blwydd. Cyffro poenus oedd dechrau pob gwers. Os nad oedd yr athrawes wedi marcio'r papurau teimlai siom ond os oedd y pentwr ar y ddesg flaen yn barod i'w roi'n ôl i'r dosbarth teimlai'n nerfus er iddi ymdrechu i fod yn llai breuddwydiol y tymor hwn.

'Fel y cofiwch,' meddai Miss Parry'n groyw uwchben y sibrwd agoriadol pan sylweddolodd y genethod fod y papurau wedi eu marcio, 'testunau'r traethawd yn yr arholiad oedd "Ogof Arthur" neu, wedi ei osod yn arbennig ar gyfer *rhai* yn y dosbarth hwn, "Breuddwyd".' Edrychodd i gyfeiriad Sabel wrth roi pwyslais ar yr ail destun a chwarddodd rhai o'r genethod yn ufudd.

Mewn difri, meddyliai Sabel, roedd yn anodd deall pethau. Dyma'r diolch am sgrifennu am ei phrofiad ei hun fel y pwysai Miss Parry arnynt yn aml. Bob tro y soniai amdani gartref wrth ei thad byddai o'n siŵr o ddweud, 'A,—Parry fy nghyfaill puraf.' Cyfaill, wir!

Yn y traethawd roedd Sabel wedi disgrifio breuddwyd a ddaethai'n real iawn iddi; hunllef, mewn gwirionedd. Bob tro y glawiai, pryderai am y trysor yn yr ogof nes aeth y poen meddwl yn freuddwyd a ddychwelai drachefn a thrachefn. Yn yr hunllef roedd yn noson o law dychrynllyd mewn ardal fynyddig. Cysgai'r Brenin Arthur mewn ogof enfawr ynghanol y mynyddoedd. Pendwmpiai yn ei arfwisg ar gefn ei geffyl a'i wallt du tonnog yn cyrraedd at ei ysgwydd. Y glaw'n curo'n ddi-baid uwchben. Sŵn creigiau'n torri a thalpiau mawr o lechi'n dechrau disgyn o entrych yr ogof. Llais Arthur yn galw, 'Mae'n argyfwng, mae'n argyfwng. Dowch ar unwaith!'

Roedd Miss Parry'n mynd i fyny ac i lawr y rhesi'n dosbarthu'r papurau ac yn gwneud ambell sylw wrth hon a'r llall. Pan ddaeth at Sabel dywedodd, 'Mae'ch breuddwyd yn troi'r chwedl o chwith, Sabel. Arthur yn galw arnom *ni*?' Doeddech chi ddim yn gwrando yn y wers, dyna oedd yn mynd i ddod nesaf, mae'n siŵr. 'Diddorol. Pwy a ŵyr ym mha gyfeiriad mae'r perygl y dyddiau hyn, yntê?'

* * *

Eisteddai Sabel ar risiau'r jeti yn edrych allan i'r môr. Roedd y llanw'n golchi dros ei thraed a haid o wylanod yn cael sbri wrth arnofio'n braf ar y tonnau tyner o'i blaen. Er gwaetha'u cri wylofus rhaid fod ganddynt ryw amgyffred o beth oedd hwyl. Y tu hwnt iddynt, ymhell allan, roedd cwch rhwyfo.

Daethai gwyliau'r haf a'r tro hwn roedd Babs a Sam o gwmpas hefyd. Clywai leisiau'i ffrindiau yn dod yn awr o gyfeiriad llwyfan cyntaf y tŵr plymio. Hwn oedd un o atyniadau traeth Penmarian ac ni welsai Sabel ei debyg hyd yn oed yn Southport. Tŵr metel ydoedd o bedair coes hir yn ymestyn o'i dop i'w waelod a thri llawr sgwâr pren oddi mewn i'r coesau, yn mynd yn llai o faint wrth fynd yn uwch. Arweiniai grisiau haearn at bob llawr. Cyn y rhyfel cofiai ei bod wedi cael mynd i lawr i'r traeth yn hwyr y nos efo'i mam a'i thad i weld sioe blymio broffesiynol. Cerdded ar hyd y promenâd yn y tywyllwch i'r fan lle roedd goleuadau llachar yn canolbwyntio ar y tŵr. Yna rhyfeddu at un ffigwr cyhyrog ar ôl y llall yn dringo'r grisiau i'r brig cyn saethu'n osgeiddig drwy'r pelydrau i'r dŵr.

Byth er hynny roedd wedi dyheu am fedru gwneud gwrhydri o'r fath ond ei chysylltiad agosaf â'r tŵr hyd yn hyn oedd stwnsian hel berdys o gwmpas ei waelod pan oedd y llanw allan, yn y pyllau o ddŵr heli a gronnai o gwmpas ei goesau'n barhaus. Weithiau ar yr adegau hynny anturiai cyn belled â'r llawr cyntaf i fyny'r hen risiau rhydlyd, ciaidd i wadnau traed noeth. Byddent wedi eu cipio cyn hyn i wneud tanciau ac ati oni bai nad oeddynt yn fawr o bethau bellach.

Disgynnodd diferion o ddŵr oer ar ei chefn a thorrwyd ar ei myfyrdod.

'*Hallo,*' meddai Sam. Ar beth oedd hi'n edrych?

Ar y cwch rhwyfo yna'n un peth. Roedd wedi bod allan braidd yn bell. Mentrai y byddai gan Jethro rywbeth i'w ddweud pan laniai.

Gorweddodd Sam ar wastad ei gefn wrth ei hymyl ar y lanfa a chau'i lygaid. Byth er ei ymyrraeth orchestol ger y bont reilffordd honno roedd wedi ymbellhau oddi wrth helynt a ffwdan y genethod. Tybiai Sabel iddo gredu ei fod wedi gwneud ei ymdrech fawr tuag at y rhyfel ac y gallai'n awr roi ei holl sylw i Glenn Miller a merched nes at ei oed.

'*Let's go camping on the mountain. See what they're up to at the old quarry,*' meddai'n sydyn heb symud, fel pe bai'n siarad yn ei gwsg. Doedden nhw ddim wedi bod yno erstalwm a byddai'n ddiddorol gweld beth oedd yn digwydd yn yr hen le. Efallai bod Karl yno hefyd. Roedd yn tynnu at ddyddiad Darlun y Mis ond doedd yna neb drws nesaf. Wedi bod yn ddistaw iawn yno ers dyddiau. '*Well, what do you say?*'

Eisteddodd i fyny o'r diwedd i weld pam na chawsai ateb. Roedd sylw Sabel ar y cwch a oedd wedi glanio ger y jeti a phwy oedd yn camu ohono ond y ddau ddyn, wedi cael lliw haul ac yn edrych heddiw fel unrhyw ymwelwyr haf. Byddai bywyd yn haws petai dihirod yn edrych fel dihirod, meddyliai Sabel. Gellid bob amser eu hadnabod yn y Luxor; gwyddech ble roeddech chi yn y fan honno. Y pen arall i'r lanfa clywai Jethro'n fflamio.

Ymhen ychydig o funudau roedd y giang ar eu ffordd i'r caffi crwn.

'Be sy?' gofynnodd Geini, yn flin am ei bod wedi cael ei thynnu o'r dŵr.

'Paid â 'meio fi,' meddai Sabel. 'Syniad Sam ydi o,' ac adroddodd yr hanes. 'Ew, mi ges i goblyn o fraw pan welis i'r ddau 'na yn dŵad allan o'r cwch.'

'Peth rhyfadd na fasat ti wedi mynd yn syth ar dy ben i Australia oddi ar y jeti. Cofia'r tair C, wnei di? O, dacw fo Penri,' a thynnwyd ei brawd oddi wrth gwmni soffistigedig rhai o'r chweched dosbarth ar y cadeiriau dec, y bechgyn yn sgwrsio'n hunanymwybodol a'r merched yn lolian yn ôl a'u breichiau ymhleth dan eu pennau. Pryd y câi hi baentio'i choesau'n frown fel yna, tybed, breuddwydiai Sabel.

Uwchben y lemonêd o gwmpas y bwrdd bach gwnaethpwyd trefniadau i fynd i wersylla ar y mynydd. Roedd gan Babs a Sam ddwy babell a rhyngddynt roedd digon o sachau cysgu ar gael.

* * *

'Hen lol,' meddai Geini ar y ffordd adref. 'Fasa'r ddau ddyn 'na ddim yn chwara o gwmpas mewn cwch petaen nhw'n meddwl dwyn llun.'

'Pasio'r amsar maen nhw ella, nes daw hi'n bryd i'r llun fynd i Lundain,' cynigiodd Sabel.

'Maen nhw'n cŵl iawn, felly. Be tasa'r llun yn mynd ar ddiwrnod arall?'

'Neith o ddim. Mae Sam yn deud fod y rwtîn yn gorfod bod yn reit slic neu fydd pobol Llundain heb lun. Gynta mae un sioe yn cael 'i thynnu i lawr mae'n rhaid i'r nesa fod yn barod i'w rhoi i fyny yn 'i lle.'

'Wel, ia, ond mi fedra'r llun nesa fod yna'n aros am ychydig cyn 'i roi o i fyny.'

'Na, medda Sam, neu mae'n bosib y bydda dau lun gwerthfawr yn cael 'u dinistrio gan fom yn lle dim ond un. A pheth arall, mae'n haws i'w neud mewn un operesion—danfon un llun a mynd â'r llall yn syth yn ôl i'r chwarel, *for the duration*, medda Sam.'

'O, *so* dyna ni'n gwbod. Ond os wyt ti'n gofyn i mi, hen esgus i fynd i gampio ydi hyn i gyd gan Sam.'

'Wel, dyna fo ta, mi fydd yn sbort beth bynnag, yn bydd?' a dechreuodd y ddwy redeg am adref.

* * *

Roedd yr hwyl i gychwyn y noson cynt pan oedd pawb yn mynd i gysgu yn eu sachau yng Nglanrhyd yn barod am y bore.

Edrychent ymlaen at gael rhyddid y lle, fwy neu lai, gan fod Mrs Elton yn Llundain a Mr Elton yn cadw at ei stydi.

Trigai Mr Elton ar ben Olympws. Fel arfer prin y cydnabyddai fodolaeth yr ifanc ac eto roedd yn fod meidrol, mae'n rhaid, meddyliai Sabel, oherwydd âi Babs i'w gyfarfod o'r Majestic amser cinio bob dydd Sadwrn a galwent yn siop Smith's ar y gornel i brynu *Beano* ac ati. Ac yfory hefyd roedd am ddefnyddio'i betrol prin i fynd â hwy cyn belled â'r lôn drol ger y Ffarm Goch. Yn ôl Babs, roedd ei thad yn falch eu bod yn mynd i wersylla, yn gwneud defnydd da o'r gwyliau yn lle gorweddian yn y gwely, er, pe bai o'n cael ei ffordd, cymerent gawod oer cyn cychwyn fel y gwnâi o bob bore yn ei ysgol fonedd. Ar wahân i'r diffyg cawod, barnai fod ei blant yn cael addysg dda yng Nghymru gan fod y ddwy ysgol yn rhoi bri ar Ladin ac ysgol y bechgyn yn dysgu rhywfaint o Roeg Glasurol yn ogystal.

Roedd Geini a Sabel wedi cyrraedd yn gynnar efo'u paciau a llwythi o frechdanau. Arhosai Babs amdanynt wrth y giât fel pe bai'n hwyr glas ganddi gael cwmni. Roedd Sam yn chwarae'r gramoffôn yn ei lofft, a Polly a Cwil wedi cau drws y parlwr yn fwriadol iawn arni. Wrth fynd i mewn drwy ddrws y ffrynt gellid gweld y ddau gariad drwy'r ffenestr. Eisteddai Cwil ar y soffa a Polly ar y llawr o'i flaen a'i phen yng nghôl ei chariad.

'*Soppy*,' oedd dyfarniad Babs.

Ar hynny, clywyd ffenestr yn agor uwchben a nodau uchel y *Moonlight Serenade* yn llenwi'r ardd. Doedd dim cyffyrddiadau cynnil yn perthyn i Sam.

Yn ddiweddarach, ar ôl i Penri gyrraedd, a phan oeddynt i gyd yn gwneud sbleddach dros damaid o fwyd, daeth y cariadon i'r gegin am gwpanaid o de ond roeddynt mor ddi-sgwrs nes aeth pawb i deimlo'n annifyr. Dyma'r tro cyntaf i Sabel weld Cwil yn ei iwnifform. Edrychai ei lygaid yn lasach nag erioed yng ngwisg yr awyrlu.

'Mi rydw i'n mynd dros y môr i rywla fory,' meddai'n ddistaw a daeth cysgod dros wyneb Penri.

Gosodwyd y pebyll yng ngolwg y Meini, nid nepell o'r ffarm, a Sam yn ei elfen gyda morthwyl a pheg. Picnic sydyn wedyn cyn ei chychwyn hi am y chwarel.

Roedd yn braf gweld y mynydd unwaith eto, a'i amlinell grom, feichiog yn glir yn erbyn yr awyr las. Daethai'r gwylanod cyn belled i'w hebrwng. Chwyrlïent a llefent yn awr uwch eu pennau. Roedd Sam yn iawn; yr oedd yno ddatblygiadau. Ger y fynedfa roedd adeilad ar hanner ei godi. Yn amlwg byddai ganddo ffenestri go fawr a gallai'r plant yn hawdd ddyfalu ei ddiben. Efallai na welid Karl wrthi'n brysur yn ffenestr Sefton Villa am lawer ychwaneg. Neu efallai mai stiwdio ar gyfer glanhau lluniau mawr, anodd eu cludo, oedd hon am fod. Drwy'r sbienddrych gwelwyd car yng ngwaelod y cwm ar ei ffordd i fyny'r allt at y chwarel. Daethai o'r ffermdy yn y coed. Nid y tanc mohono ond modur cyffredin a maes o law daeth pedwar allan ohono. Ymddangosodd pedwar arall o'r ogof ac i mewn â hwy i'r car fel petaent yn newid giard. Peirianwyr, efallai, yn gofalu am y tymheredd.

Diflannodd y car yn ôl i'r ffermdy yng ngwaelodion y dyffryn a disgynnodd distawrwydd dros harddwch y wlad. Estynnai ysblander y mynyddoedd o drum i drum i'r pellteroedd tesog. Dim ond llethr mynydd y chwarel oedd mewn cysgod a'r twmpathau grug arno yn dywyll fel y fagddu.

Agorodd y drws bach cyfarwydd yn y ddôr. Karl a'r dyn barfog! Cerddasant yn hamddenol i lawr yr allt gan sefyll ambell waith i fwynhau'r olygfa. Trwy'r sbienddrych gellid eu gweld yn gwenu ac yn sgwrsio. Edrychent fel dau yn mynd am dro mewn mangre hoff er gwaetha'r fflachlampau a'r chwyddwydrau mawr a oedd yn sigo'u pocedi. Gwyliodd y plant hwy nes oeddynt fel dau fymryn ar y rhuban o lôn. Yn yr eangderau o'u cwmpas nid oedd dim symudiad arall er bod pum pâr o lygaid ifainc, craff yn chwilio'n fanwl.

Y noson honno bu'r plant yn hir yn mynd i gysgu, hyd yn oed ar ôl y trampio hir yn yr awyr iach. Parhâi yn olau mor hwyr ac yno yn yr ucheldérau roedd yn hwyrach fyth cyn i stribedi fflamgoch y machlud ddiflannu draw dros y môr i'r gorllewin. Yn erbyn yr oren edrychai'r Meini'n ddu ac yn fwy nag arfer.

'*Spooky*,' meddai Babs wrth edrych drwy fflap y babell.

Ac ar ôl mynd i gysgu doedd dim llonydd i gael chwaith. Deffrowyd y merched gan anadlu trwm a phwnio o'r tu allan i'r cynfas. Arhosodd y tair yn llonydd yn eu braw am rai munudau ond rhaid oedd gweiddi yn y diwedd.

'Penri!'

'Sam!'

'Help!'

Teimlent yn wirion braidd pan roes Penri ei ben i mewn a gofyn, 'Sut 'dach chi'n meddwl eich bod chi am ennill y Rhyfal pan 'dach chi ofn ebol mynydd?'

* * *

Drannoeth roeddynt am fynd ar sgawt unwaith eto, y tro hwn i lawr y dyffryn tua Threlech. Edrychai Karl a'i gydymaith fel petaent yn anelu am y ffermdy ddoe, a'r cynllun yn awr oedd mynd cyn belled i weld a oedd rhywrai go amheus o amgylch y fan honno. Fel yr aent i lawr yr allt gwelent fwg trên yn y pellter a thybient nad oeddynt yn bell iawn o'r bont reilffordd honno y gwyddent mor dda amdani. Yn nes atynt codai simneiau tal, main y ffermdy o'r coed. Safai'r tŷ mewn pant a dringodd y plant ar eu boliau i fyny bryncyn i gael gwell golwg arno. Roedd yn blasty bach hynafol, yn wir, yn frith o dalcennau a ffenestri mân. Doedd neb i'w weld o gwmpas—amser cinio, mae'n debyg—ond roedd y tanc a dau gar arall ar y buarth. Roedd hi'n amlwg fod y lle yn rhyw fath o bencadlys i'r gaethglud yn y mynydd.

Penderfynwyd gwasgaru am ychydig. Crwydrodd y bechgyn a'r merched ar wahân ar hyd gwaelod y cwm rhag ofn y byddai pump gyda'i gilydd yn tynnu sylw. Roedd ambell dyddyn hwnt ac yma ar y gwastadedd ac eisteddodd y genethod ar lidiart yn edrych ar resi o ŷd mewn cae. Ymddangosai popeth yn drefnus a doedd gan yr un ohonynt ddim o'i le i'w adrodd wrth ymgynnull i fwyta'u brechdanau. Daeth car y newid giard heibio o gyfeiriad y ffermdy a chododd y dynion eu llaw arnynt.

Y noson honno medrodd pawb fynd i gysgu'n gynnar a chystal hynny gan eu bod yn cychwyn yn blygeiniol y bore wedyn am y chwarel. Dyma ddyddiad Darlun y Mis ac roedd arnynt eisiau gweld a oedd yn mynd o'r chwarel y tro hwn gan fod Karl yno. Roedd y merched i aros o fewn golwg i'r fynedfa a'r bechgyn gyda'u coesau hirion i gerdded cyn belled â'r ffermdy rhag ofn mai o'r fan honno y cychwynnai'r tanc am orsaf Llanadda. Er bod hwyrnosau'r haf yn hir a golau, nid oedd yn gwawrio'n gynnar ac roedd y plant yn eu safleoedd bron cyn iddi ddyddio. Edrychai pobman yn ddieithr rywsut yn y golau gwantan ac roedd gwawl rhosynnaidd ar gribau Eryri.

Syllodd y genethod yn ddiflino ar y fynedfa ond ni ddigwyddodd dim yno. Mewn tipyn tybient iddynt weld symudiadau i lawr yn y pellter o gwmpas y tŷ ffarm. Ni wyddai'r un o'r tair beth a wnaent mewn gwirionedd petaent yn dod wyneb yn wyneb â'r ddau ddyn ond roedd ganddynt ffydd yn nerth braich y bechgyn.

Ni fu angen i Sam a Penri roi prawf ar eu cryfder, fodd bynnag. Gadawodd y tanc fuarth y ffermdy am y ffordd fawr i Lanadda yn gyflym a diogel.

PENNOD 9

Yn y drydedd wythnos ym mis Medi ailagorodd yr ysgol. Hoffai Sabel ddiwrnod cyntaf y flwyddyn addysgol. Edrychai'r athrawon yn glên, ambell un mewn dilledyn newydd a ychwanegai at rialtwch y dydd. Roedd cyffro dechrau tymor yn y rhengoedd wrth gerdded i mewn i'r neuadd. Llinellau o ferched yn eu gwisg las tywyll a'u teis coch yn brasgamu un ar ôl y llall, plethi'n siglo ar gefnau rhai ac eraill efo dau glip (a dim mwy na dau, enethod, os gwelwch yn dda!) yn cadw'r gwallt yn weddus tu ôl i'r clustiau. Ar gyfer y bore hwn roedd Miss Reeve, Mathemateg, wedi dysgu darn newydd bywiog ar gyfer y piano a cherddent i mewn gyda mwy o asbri nag erioed. Caent ailgodi'r hwyl arferol efo'i henw yn y wers Fathemateg; pan roid allan rif y dudalen yn y gwerslyfr byddai rhywun yn siŵr o ofyn, 'Pa rif, Miss Reeve?' o dan ei gwynt. Yn awr, trawai'r ifori gan bwysleisio'r tempo â'i metronom mewnol a'i breichiau'n glyd o dan lewys dwbl y *twin-set*. Dyna oedd iwnifform Miss Reeve ac wrth ymdeithio heibio llygadodd pob geneth y lliw eog newydd amdani'r diwrnod hwnnw;

Roedd yn braf bod yn ôl yn y rhesi ac er difyrred y gwyliau roedd cysur mewn dychwelyd i fyd cloc larwm a chlychau ar ôl wythnosau o benrhyddid. I ychwanegu at y normalrwydd roedd Karl yn ôl wrth ffenestr ei stiwdio yn Sefton Villa. O goeden Glanrhyd gwelid ef yn llafurio'n araf fel o'r blaen ac ymddangosai fod popeth yn dda.

Ond ychydig ddyddiau'n ddiweddarach digwyddodd rhywbeth rhyfedd y tu allan i orsaf Llanadda. Wrth i'r plant ysgol ddechrau tyrru'n swnllyd i lawr grisiau allanol yr orsaf fe welwyd y tanc yn cyrraedd ar frys o'r ffordd fawr. Cefnodd yn gyflym at y pafin, rhuthrodd y gyrrwr allan, gan adael ei ddrws ar agor yn ei frys i ddatgloi'r drysau cefn, neidiodd Karl allan o'r ochr arall ac ar unwaith daeth yr osgordd arferol i gludo'r darlun i'r lifft.

Gerllaw, yn edrych fel pe baent yn rhan o brysurdeb boreol y rheilffordd, ymddangosodd y ddau ddyn, wedi eu gwisgo mewn trywsusau tywyll ac yn llewys eu crys, yn rhoi'r argraff eu bod ar staff ymylol yr orsaf. Roedd y cochyn wrthi'n brwsio'r pafin a stopiodd i bwyso ar goes y brws pan landiodd y tanc wrth ei ymyl. A daeth yr wyneb hir o gyfeiriad y swyddfa barseli a oedd nesaf at y lifft. Cariai baced yn ei freichiau a gwnaeth ymgais ddof i fynd i mewn i'r lifft efo'r parti swyddogol ond caewyd y giatiau metel yn ei wyneb. Daliai ei bartner i wylio'r tanc fel petai'n aros iddo symud er mwyn cael mynd ymlaen efo'r brwsio. Esgynnodd y lifft a heidiodd y rhelyw o'r plant yn ddi-hid ar draws y buarth a thrwy byrth yr orsaf am allt yr ysgolion ond roedd pump ohonynt wedi cael sgegfa go arw. Doedd wiw oedi rhagor cyn dweud wrth rywun.

Wrth drafod y digwyddiad ar y ffordd adref y prynhawn hwnnw ni allai'r criw yn eu byw ddeall pam roedd y ddau ddyn wedi bod mor llywaeth. Disgrifiodd Penri a Sam eu hadwaith wrth ddod i lawr y grisiau, bron am y gorau'n brolio'u parodrwydd i weithredu. Roedd Sam, a oedd ar dop y grisiau ar y pryd, yn barod i neidio dros y ganllaw a syrthio am ben yr un a oedd ar fin mynd i'r lifft ac roedd Penri, a oedd bron wedi cyrraedd gwaelod y grisiau, yr un mor barod i daclo'r llall yn nhraddodiad gorau cae rygbi'r ysgol. Roeddynt ar dân i ddangos eu gwrhydri ond, yn rhyfedd, ni alwyd amdano. Cytunwyd na fyddai wedi bod y tu hwnt i bosibilrwydd i daclau digywilydd ddwyn y darlun yn y fan a'r lle. Ei gipio'n chwim a chychwyn yr injan a'i heglu hi.

A mynd trwy'r haid o blant ysgol ar y buarth fel lladd gwair? gofynnodd Babs yn amheus.

Bu distawrwydd syn am ychydig.

Efallai mai rihyrsal oedd o, cynigiodd Geini toc, ac edrychodd pawb mor ddifrifol arni nes cochodd.

Yn ddi-os roedd yn rhaid dweud wrth rywun.

* * *

'A wyddoch fod dau ddyn yn eich gwylio?' gofynnodd Sabel ychydig o ddyddiau'n ddiweddarach.

Hi a benodwyd i rybuddio Karl. Nid oedd ar Babs a Sam eisiau torri côd y gweision sifil, fel petai, trwy gracio'r plisgyn diplomyddol, a ph'run bynnag roeddynt yn byw yn rhy agos. Gallai Karl ddod yn syth trwy'r drws yn y wal i achwyn amdanynt wrth eu rhieni. Disgwylid Karl yn y mans ddechrau'r wythnos am ei wers a phwyswyd ar Sabel i geisio rhoi'r neges iddo rywsut bryd hynny. Ond nid gwaith hawdd oedd cael cyfle. Ni allai ddweud dim o flaen ei rhieni, wrth gwrs, ac ar y llaw arall methai'n glir â chael gair yn breifat. Eisteddodd ar ben y grisiau am gyfnod, yn barod i redeg i lawr i'r stydi pe deuai cyfle. Byddai rhywun byth a beunydd yn dod i'r drws eisiau gweld ei thad ar ryw berwyl neu'i gilydd, ond nid heddiw. Roedd wedi sgrifennu'r cwestiwn ar ddarn o bapur a fyseddai'n awr yn ei phoced. Efallai y câi eiliad i'w drosglwyddo wrth y bwrdd te. Teimlai'n fwy amddiffynnol tuag at Karl yn awr er pan gafodd ei draed dan y bwrdd. Roedd yn anodd parhau i fod yn amheus o rywun a rannai frechdanau corn biff gyda'r teulu bach. Bwytai Sabel yn fursennaidd y prynhawn hwnnw yn hytrach na sglaffio'i bwyd, er mwyn cael esgus i aros wrth y bwrdd hyd yn oed pan oedd ei mam wedi dechrau pentyrru'r platiau. Efallai y byddai ei thad yn cynnig symud ei gwpan a'i soser fel osgo i helpu, ond na.

'Dy dro di ydi golchi'r llestri, Sabel, dwi'n credu. Fe â dy fam a finna i ddanfon Karl at y car.'

Gwnaeth Sabel dipyn o stŵr efo'r llestri am funud yn y gegin cyn agor clicied y drws cefn yn ddistaw bach. Sleifiodd i fyny'r stepiau i ben y lôn gul a âi ar hyd gefnau'r rhes a rhedeg i lawr yr allt at ffrynt y tai. Erbyn hyn roedd Karl yn eistedd y tu ôl i'r llyw a gwelai ei thad a'i mam yn cychwyn yn ôl am y tŷ. Cychwynnodd yr injan ond agorodd Karl y ffenestr pan welodd fod Sabel yn ceisio dweud rhywbeth.

'A wyddoch fod dau ddyn yn eich gwylio?' meddai'r eildro, yn uchel ac yn bwyllog.

Petrusodd Karl am eiliad cyn gwenu arni'n garedig a rhoi ei droed ar y sbardun. Syllodd Sabel yn hurt ar ei ôl. Mae'n rhaid nad oedd wedi ei deall. Yn ddiweddarach aeth i fyny i dŷ Geini i fynegi ei siom.

'Ddaru o ddim dy ddallt di? O diar, dy dad ddim yn ditsiar rhy dda, felly. Be ddeudist ti wrtho fo?'

'A wyddoch fod dau ddyn yn eich gwylio?'

'Ew, da iawn, Sab. Neith Miss Parry byth sgwennu "gormod o iaith sathredig" ar dy riport di eto.'

'Dysgwr ydi o yntê? Dim iws siarad rwsut-rwsut fath â chdi efo fo, nag 'di?'

'Wel, arno fo mae'r bai rŵan os digwyddith rhywbath iddo fo,' a dyna ben arni cyn belled ag roedd Geini yn y cwestiwn.

Ond ni allai Sabel roi'r gorau iddi heb ailgynnig. Ni wyddai'n iawn ai consárn am Karl oedd hynny ynteu awydd am weld sut yr adweithiai y tro nesaf. Cafodd gyfle y prynhawn canlynol. Gwyddai na fyddai te'n barod ym Mryn Glas tan wedi pump gan fod Jethro'n papuro'r gegin orau. Cafodd gwmni Babs i fyny o'r orsaf a phiciodd ei ffrind i fyny'r goeden i sicrhau bod Karl i mewn cyn i Sabel ei throi hi am Sefton Villa. Oedd, roedd ei gar bach du yno. Nid edrychai Sabel ymlaen at ei thasg ond cerddodd tua'r drws gydag osgo di-droi'n-ôl. Canodd y gloch yn ddi-lol a gwrandawodd arni'n seinio ymhell yng nghrombil y tŷ. Wrth aros yno daeth ias drosti fod rhywun yn ei gwylio. Babs, mae'n debyg, wedi aros rhwng dail melyn-wyrdd y goeden. Safai'r drws mewn cilhaul ac ar y llaw chwith iddi roedd y gwrych bytholwyrdd uchel yn rhoi'r syniad fod cysgodion y nos yn crynhoi o'i hamgylch a hithau eto'n ddydd. Dyna sŵn traed ar y teils a bollt yn cael ei dynnu'n ôl. Agorwyd y drws.

'Sabel?'

Penderfynodd fod yn rhaid siarad Saesneg, waeth beth a ddywedai ei thad. Rhaid osgoi camddealltwriaeth pellach, os mai dyna oedd o.

'*I felt a real hat yesterday*,' meddai, gan lyncu poer.

'Dewch i mewn, os gwelwch yn dda. Rwy'n paratoi cwpan-aid o de yn y gegin.' Rhyfedd fel y swniai'n fwy o Almaenwr pan siaradai Gymraeg; yr 'ch' yn llai gyddfol nag un y Cymry a phob sillaf yn cael ei lle.

Teimlai'n rhynllyd wrth ei ddilyn ar hyd y teils du a gwyn i'r cefnydd. Edrychodd i fyny'r grisiau a chael cip ar ddrws trwm y stiwdio.

'Eisteddwch, os gwelwch yn dda,' meddai ar ôl cyrraedd y gegin dywyll. Yn uchel ar un wal crogai rhes o glychau a thybiai fod tafod un ohonynt yn dal i grynu. Sïai'r tegell ar y stof nwy.

'*Did you—?*' dechreuodd Sabel ond fe dorrodd Karl ar ei thraws gyda phendantrwydd distaw.

'Sabel, deallais chi yn iawn ond ni fedraf siarad â chi am y mater.'

'*Careless talk costs lives*, 'dach chi'n feddwl?'

'Gobeithio nad yw'r sefyllfa mor ddifrifol â hynny.'

Estynnodd y tebot a'r cadi te o'r cwpwrdd cyn gofyn yn swta a'i gefn tuag ati, 'Ymhle?'

Cymerodd eiliad neu ddau iddi ddeall mai ymateb oedd hwn i'r cwestiwn a ofynnodd iddo ddoe ger y car.

'Ar y trên ac yn stesion Llanadda ond yn rhyfadd iawn ddim ar y—' Yn ffodus boddwyd ei geiriau gan chwiban y tegell. Bu'n ddiofal; nid oedd arni eisiau datgelu ei bod yn gwybod am y mynydd. Roedd Karl wrthi'n estyn llwyaid o de.

'Ydach chi ddim am gynhesu'r tebot gynta?' gofynnodd Sabel yn frysiog rhag ofn iddo ofyn iddi ailadrodd beth fu ar fin ei ddweud.

'Chi yw'r arbenigwr,' meddai gan roi'r tebot iddi, a chafodd y syniad ei fod yntau'n ceisio newid cyfeiriad y sgwrs, ond nid heb un rhybudd olaf, fodd bynnag, oherwydd ar ôl iddi dywallt dwy gwpanaid o de, dywedodd, 'Edrychwch, rhaid i chi beidio poeni amdanaf. Wedi'r cyfan, rwyf yma o hyd.' Cymerodd lwnc hamddenol. 'Te rhagorol,' meddai, ac er mai geiriau canmoliaethus oeddynt swnient yn oeraidd, mwy fel drws yn cau'n glep yn ei hwyneb. 'Sut mae'r ysgol?' gofynnodd.

Toc canodd y ffôn yn y cyntedd. Cododd Karl i'w ateb gan gau'r drws ar ei ôl. Tywalltodd Sabel ail gwpanaid iddi'i hun a rhoes ei dwy law am y gwpan boeth i'w cynhesu. Tai oer oedd tai cerrig mawr fel hyn. Ni allai beidio â meddwl mai yma y byddai'r gwallgofddyn hwnnw'n gwneud te erstalwm, yn ei *singlet*. Fe'i gwelsai ei mam o wedi ei wisgo felly yn y Stryd Fawr ar ddiwrnod oer.

Bu'n ymwybodol ers tro o lais Karl yn siarad yn ysbeidiol. Ddylai hi roi cynnig arall ar ei rybuddio pan ddeuai yn ei ôl? Na, roedd fel taro'i phen yn erbyn wal. Daeth i sylweddoli bod goslef ddieithr yn y llais yn y cyntedd. Oedd o'n siarad Almaeneg? Cododd i glustfeinio. Troes y dwrn yn araf a rhoi un glust yng nghil y drws.

'*. . . und das Mädchen auch.*'

'*. . . Ja . . . Ja . . . aber dieser nächste Monat ist speziell, nicht wahr?*'

Câi Sabel ddigon o gyfle i gnoi cil ar y geiriau oherwydd y saib rhyngddynt tra siaradai'r llall.

'*Ein neuer Plan?*'

'*. . . Ja . . . Gut. Auf Wiedersehen.*'

Brysiodd yn ôl at y bwrdd fel y dychwelodd Karl. Oedd hi'n wallgo neu rywbeth? Wedi bod yn sipian te efo Almaenwr go-iawn ac yn ceisio'i rybuddio?

'Rhaid i mi fynd,' meddai'n gwta, a chythru am y drws.

'Tan y tro nesaf, felly, Sabel,' galwodd ar ei hôl.

'Crogi'r diawl! Crogi'r diawl!' meddai dan ei gwynt wrth redeg i lawr y dreif a'i throi hi am y drws nesaf.

Arhosai Babs ar bigau'r drain amdani ger Glanrhyd gyda newydd arswydus. Roedd wedi gwylio hynt Sabel o'r goeden a chyn gynted ag y diflannodd i mewn drwy'r drws daeth y ddau ddyn allan o'r llwyni yng ngwaelod gardd Sefton Villa a'i bachu hi oddi yno. Bu bron i Sabel gael ffit pan glywodd. Mae'n rhaid ei bod wedi cerdded heibio iddynt yn ddiarwybod.

Ar hyd y ffordd adref daliai'n gynhyrfus iawn. Dyma'r tro cyntaf i'r ddau ddyn gael eu gweld o gwmpas y tŷ. Roedd fel petai'r perygl yn nesáu. Ac eto, fel y dywedodd wrth Babs, ni allai siarad â Karl am y peth byth mwyach. Cawsai argraff ddi-gamsyniol fod mur yn cael ei godi rhyngddynt wrth sgwrsio yn y gegin. Roedd y neges yn glir, nid yn y geiriau yn gymaint ag yn yr hyn na ddywedwyd, yn y gagendor rhwng y siaradwyr. Roedd wedi cadw'n ddistaw am yr Almaeneg a'i hadwaith i hynny, fodd bynnag; ar ôl clywed stori Babs nid oedd mor siŵr o'i phethau. Rhedodd am gornel yr eglwys ac i lawr yr allt am Fryn Glas fel rhywun yn ffoi am noddfa. Yna cofiodd am y papuro. Byddai pob man a'i draed i fyny.

'Duwcs, mae'r hogan 'ma'n tyfu,' meddai Jethro gan sybwb-io'i gwallt.

Derbyniodd y cyfarchiad orau y medrai rhag ofn iddo ddechrau dweud ei hanes hi yn y Bron. Nid oedd wedi dod ar ei draws yn iawn er hynny. Eisteddodd ar y soffa gan obeithio y byddai ei phresenoldeb yn rhoi taw ar unrhyw glebran. Roedd ei mam yn paratoi'r te yn y gegin gefn.

'Does 'na bobol ddiarth o gwmpas Pen rŵan, Mrs Felix?' gwaeddodd Jethro, gan roi'r brws sych dros y swigod yn y papur. 'Rhwng y BBC a'r Inland Refeniw a'r Ministrioffŵd wyddoch chi ddim pwy ydi neb, myn dian i. Ac mae 'na adar digon brith yn 'u mysg nhw.'

'O dowch o'na, 'dach chi ddim braidd yn galad arnyn nhw, Jethro? Mae 'na rai sobor o neis yn dŵad i'r tŷ 'ma.'

'O'r Karl Davies 'na 'dach chi'n feddwl?' gofynnodd gan ddal i ymlid y swigod. 'O rêl gŵr bonheddig, Mrs Felix, er na wn i be gythgam mae o'n neud chwaith. Ond mi welis i rai erill yn y Br—, wel, o gwmpas,' a rhoes winc ar Sabel, 'na faswn i ddim yn licio taro 'nhrwyn ynddyn nhw yn y blacowt, wir i chi.'

Taniodd sigarét, a rhoi ei benelin yn hamddenol ar y dreser, a safai ar ganol y llawr.

'Na wir i chi rŵan. Tydw i ddim yn baldaruo. Mi ddigwyddodd rhywbath leni na welis i rioed mono fo o'r blaen. Mi es i lawr i lan môr un bora wsnos dwytha i dwtio tipyn ar y cychod cyn y gaea ac mi roedd un ohonyn nhw'n wlyb sop.'

Erbyn hyn daethai Mrs Felix i mewn o'r gegin gefn a'r gyllell fara yn ei llaw er mwyn rhoi sylw dyladwy i'r stori.

'Chefis i rioed neb yn tampro efo 'nghychod i o'r blaen, hogan.'

Gwnaeth Mrs Felix sŵn difrïol gyda'i dannedd.

'Well i chi beidio gadael y rhwyfa allan, 'ta,' meddai Sabel gan godi'n sydyn. Roedd yn rhy helbulus a llwglyd i oddef chwaneg.

'Wannwyl, mae'r rheini dan glo gin i, siŵr iawn. Dyna be sy'n od.'

Ar ôl te roedd Sabel ar dân i fynd i dŷ Geini i ddweud yr hanes am y ddau ddyn ond ni chafodd gyfle. Rhwng y tasgau ysgol a rhoi trefn ar y gegin fyw doedd ganddi ddim esgus. Roedd ei mam wedi dynodi gorchwylion arbennig i bawb ac anfonwyd Sabel i'r gegin gefn i olchi llestri glas y dreser. Fe'i siarsiwyd i fod yn ofalus ac i gymryd ei hamser ac felly cafodd lonydd i feddwl tra oedd y symud dodrefn yn mynd ymlaen am y wal â hi.

Roedd perygl yn y gwynt, gwyddai hynny, ond o ba gyfeiriad? Roedd mor anodd dweud ar ba ochr yr oedd neb. Sylweddolodd rywsut fod pryder arbennig ynglŷn â'r darlun nesaf i adael gogledd Cymru ond ni wyddai'n iawn sut y gwyddai. Rhywbeth a ddywedodd Karl ar y ffôn? Ni ddeallai Almaeneg ac eto roedd y geiriau dieithr wedi cyfleu rhyw fath o ystyr. Roedd ei thad wedi dweud wrthi fod ieithoedd yn mynd mewn teuluoedd a bod Almaeneg a Saesneg yn perthyn i'w gilydd. Efallai mai dyna oedd o—rhyw debygrwydd teuluol. Gwyddai o'r gorau fod Cymraeg a Llydaweg o'r un tylwyth. Cofiodd am y milwr hwnnw o Lydaw yn sydyn yn deall mymryn o Gymraeg. Dewyrth Betws yn digwydd dweud rhywbeth a ganodd gloch atgof yn ei feddwl.

Blwyddyn yn ôl oedd hynny. Roedd milwyr o Ffrainc yn gwersylla yn yr ardal a gwahoddwyd dau ohonynt i swper. Y ffaith eu bod yn Llydawyr a dynnodd ei thad atynt yn bennaf ond ychydig iawn o Lydaweg oedd ar ôl ganddynt. Siaradai'r naill Saesneg caboledig iawn ond y llall, llanc pryd tywyll, ddim Saesneg o gwbl. Ceisiai pawb, gan gynnwys teulu Betws, a oedd wedi dod draw, roi cynnig ar eu Ffrangeg-ysgol i ddechrau ond, fel yr âi hwnnw i'r gwellt, trowyd fwyfwy at y Saesneg ac aeth y Llydawr llygatddu ymlaen i fwyta'i swper mewn arwahanrwydd tawel. Trodd y sgwrs yn anochel at Hitler ac yn sydyn meddai Dewyrth Betws, a'i Ffrangeg a'i Saesneg yn gwegian erbyn hynny. 'O, crogi'r diawl!' Ar unwaith, deffrôdd y Llydawr mud a gweiddi dros y stafell, 'Crogi'r diawl!' A dyma pawb yn dechrau chwerthin dros y lle. Roedd fel petai popeth yn y gegin yn crynu o chwerthin: platiau'r dreser fel llygaid mawr glas yn pefrio chwerthin, y milwyr, teulu Betws, ei mam a hyd yn oed ei thad yn chwerthin nes bod y dagrau'n powlio.

'Sabel bach, gad y patrwm ar y plât, wnei di?' meddai Mrs Felix. 'Mae hynna'n hen ddigon o sglein.'

* * *

'Dwi'n siŵr bod y darlun nesa'n un go sbesial,' meddai Sabel wrth Geini ar eu ffordd at y trên drannoeth, 'ac y byddan nhw ella'n newid 'u plania er mwyn bod yn ofalus.'

'O ia, wyt ti'n dallt *German* rŵan, wyt ti? Ew, biti na fasa Winston yn gwbod pa mor giwt wyt ti. Fasa'r rhyfal drosodd erbyn Dolig, wedyn.'

'Ond pam oedd o'n siarad *German*? Dyna sy'n 'y mhoeni i. Ar ochor pwy mae o?'

'Wel, chwarae teg, mae o wedi cyfadda 'i fod o'n hannar *German*. Hei, wyt ti wedi meddwl ella 'i fod o'n siarad efo'i fam? Ac os ydi o wedi arfar siarad *German* efo hi, fasa fo ddim yn naturiol iddo fo siarad dim byd arall, na fasa? Dwi'n teimlo'n rêl het yn siarad Saesneg efo mam o flaen Charlie.'

Ond nid oedd Sabel yn fodlon.

Edrychai Babs allan amdanynt ym mhorth yr orsaf a rhedodd i'w cyfarfod yn llawn helynt. Bu'n methu â chysgu wrth feddwl am y ddau ddyn yna'n sbecian yng ngardd Sefton Villa. Roedd agosrwydd y perygl yn frawychus. Rhaid gwneud rhywbeth, a phenderfynodd y giang gael trafodaeth lawn ddydd Sadwrn.

Ond cyn hynny bu mwy o gynnwrf.

PENNOD 10

Ar y nos Iau piciodd Geini i lawr at Sabel i Fryn Glas i wrando ar eu hoff raglen. Doedd dim byd yn tarfu ar yr arfer honno. Dechreuwyd ar dasgau ysgol yn gynnar er mwyn cael cau'r botel inc mewn digon o bryd i fwynhau'r sioe. Roedd cyd-wrando'n dyblu'r chwerthin ac am fod y ddeialog mor chwim a bachog roedd dau bâr o glustiau o fantais fawr. Âi'r ddwy dros y llinellau gorau ar ôl y rhaglen a dynwared effeithiau sain arbennig fel sŵn y corcyn yn rhoi clec pan oedd Colonel Chin-strap wrthi. Dechreuwyd mwynhau'r hwyl arferol ond pan ddaeth y triawd benywaidd ymlaen i ganu ar y canol clywyd effeithiau sain annisgwyl a dieithr dros yr awyr. Yn y cefndir yn hollol eglur roedd sŵn bomiau'n ffrwydro. Edrychodd y ddwy ar ei gilydd. Bomiau'n disgyn ar Lanadda? Parhâi'r grŵp lleisiol i asio'n glòs ac i lynu'n arwrol wrth y meicroffon nes i beiriannydd yn rhywle gael gorchymyn i gymryd y sioe yn raddol oddi ar yr awyr.

Agorodd y drws cefn. Mr a Mrs Felix wedi dod adref o'r Seiat.

'Helô, 'dach chi'n iawn?' holodd Mrs Felix wrth weld y genethod yn edrych yn syn a gwelw.

A chlywsant yr hanes am ddiwedd disymwth y chwerthin.

Ar hynny udodd y seiren.

* * *

'Diffoddwch y golau 'na!' gwaeddodd llais yn y pellter wrth i Sabel ddanfon Geini adref ar ôl swper. Roedd fflachlamp boced fechan ymlaen ganddi gan fod yr *All-clear* wedi canu ac nid oedd yr un warden wedi rhefru amdani o'r blaen. Roedd hi'n amlwg fod pethau am fod yn wahanol o hyn ymlaen.

Yn hwyrach diffoddodd Sabel y golau yn ei llofft er mwyn edrych allan drwy'r ffenestr. I'r dwyrain tua Lerpwl gwelai belydrau cryfion yn croesi'r ffurfafen yn chwilota am awyrennau'r gelyn. Roeddynt yn ei hatgoffa o'r pelydrau'n disgleirio ar y tŵr plymio erstalwm. Tarodd rhuthr sydyn o law ar y gwydr. Gwell swatio o dan y gwrthbanau. A sŵn y glaw yn dal yn ei chlustiau, o'r diwedd syrthiodd i gysgu ond cwsg anesmwyth, hunllefus oedd o. Breuddwydiodd am law dychrynllyd ar y mynydd a bod to'r ogof yn cracio. Roedd dynion yn adeiladu tŵr o sgaffaldiau i'w atgyfnerthu. Ceisiodd ddringo'r tŵr ond er iddi gamu'n uwch o hyd nes bod gwadnau'i thraed yn brifo ni ddeuai byth yn nes i'r lan oherwydd estynnai'r sgaffaldiau o'r golwg i entrychion y fagddu uwchben. Ar hynny dyna lais yn diasbedain drwy'r ogof: 'A ddaeth y dydd?'

Deffrôdd gyda'r llais. Diolch byth, roedd yn ei llofft fach ei hun a'r to yn ddiddos uwch ei phen. Roedd yn dal yn dywyll ond gallai ganfod ffurf hirsgwar y ffenestr. Cododd i edrych allan. Pob golau wedi ei ddiffodd yn awr. Na, beth oedd hwnna? Fflach yn syth o'i blaen o gyfeiriad y môr. Neu ai breuddwydio'r oedd hi o hyd? Ni ddigwyddodd yr eildro er iddi aros yn syllu am yn hir nes dechrau oeri.

'Mae golwg wedi blino arnat ti, 'raur,' meddai ei mam amser brecwast. 'Hidia di befo, mae'n hannar tymor wythnos nesa ac mi gei di dipyn o orffwys.'

Synnodd Sabel glywed ei mam yn siarad fel hyn. Fel arfer ni rôi le i ddiogi.

'Falla nad oedd yna gymint â hynny o ddifrod yn Llanadda neithiwr,' ebe'i thad. 'Awyren wedi colli'r ffordd i Lerpwl, mae'n siŵr. Mi rydan ni'n lwcus, Sabel bach, fod cyn lleied yn digwydd yn ein cornel fach ni o'r wlad.' Gwenodd arni dros ei sbectol. 'A chyda llaw, rhag ofn i ti gael dy siomi, tydi Karl ddim yn dod am ei wers pnawn 'ma. Rhy brysur, medda fo.'

Ategodd Babs yn y stesion ei fod yn brysur; yn wir, wrth ei waith yn y ffenestr cyn iddi gychwyn o'r tŷ y bore hwnnw. Ond brysiwyd at brif destun sgwrs y dydd. Geini oedd brenhines y daith ar y trên. Roedd yn llawn o hanes y bomio gan fod Charlie yn y stiwdio yn arwain y gerddorfa pan glywyd y ffrwydradau. Wedi cyrraedd yr ysgol roedd yr awyrgylch yn drydanol a phob un â'i stori amser cofrestru. I feddwl bod miloedd drwy'r deyrnas wedi clywed bomiau Llanadda! Rhwng popeth, y profiadau y gellid eu rhannu a'r pryderon na ellid eu rhannu, teimlai Sabel yn un cyffro drwyddi.

Ar drothwy pob hanner tymor byddai tipyn o sibrwd yn y rhengoedd yn y neuadd ond y bore hwnnw, wrth reswm, roedd mwy o drydar nag arfer. Cymerai'r Brifathrawes yr agwedd na ddylai dim darfu ar weddustra, a galwyd am dawelwch. Wedi'r gwasanaeth gwnaeth hysbysiad y byddai cyngerdd y prynhawn hwnnw, yn cael ei roi gan driawd offerynnol Coleg Llanadda. Clywyd griddfannau yn y seddau. Cododd y Brifathrawes ei braich a bu saib priodol i gyfleu cerydd y tu hwnt i eiriau cyn mynd ymlaen i obeithio y byddai pob un ohonynt wedi dod ati'i hun erbyn y prynhawn.

Caeodd Sabel ei llygaid a chanfod ei bod yn medru mwynhau'r gerddoriaeth yn well. Bu'n anodd ar y cychwyn.

Edrychai'r pianydd fel morlo, gyda mwstás a ddisgynnai o boptu'i geg, ac roedd stumiau talog y merched cyhyrog a ganai'r soddgrwth a'r feiolin yn dod â gwrid cynyddol i'w hwynebau. Pan gaeai'i llygaid, fodd bynnag, gallai anghofio amdanynt. Ac anghofio gofid hefyd yn y gwrando. Meddyliodd ei bod yn deall beth a olygai Mrs Elton amser te pen blwydd Babs.

Wrth iddi gamu i lawr o'r trên ym Mhenmarian yn ddiweddarach crochlefai'r gwylanod uwchben fel pe baent yn cydlawenhau â'r plant ysgol ar ddechrau eu hanner tymor. Adar gwyliau oeddynt i Sabel a'u sain, hyd yn oed gefn gaeaf, yn dwyn i gof bromenâd a chadeiriau cynfas boliog yn chwythu am allan yn awel y môr. Ond sŵn prudd-lawen oedd o hefyd.

'Mi alwa i amdanat ti pnawn fory i fynd i Glanrhyd,' meddai Geini pan oeddynt ar fin gwahanu.

'Iawn, ond be 'di'r iws trafod dim byd? Does 'na neb yn gwrando.'

'Yli, paid â bod mor ddigalon. Mae gin i syniad, os wyt ti eisio gwbod. Doeddwn i ddim am ddeud dim byd tan fory ond mi ddeuda i wrthat ti cyn pawb arall. Yn Maths pnawn 'ma ddaru mi feddwl am y peth.'

'Be?'

'Wel, mi roeddwn i wrthi'n stryffaglio efo'r syms 'na oedd Twin Set wedi'u rhoi i ni i'n cadw ni'n ddistaw; ti'n gwbod, am y trêns 'na'n mynd ar wahanol sbîds i Lundain a mi ddath i mi fel fflach.'

'Wel, be?'

'Beth am fynd i weld y stesion-master?'

'Stesion-master Penmarian?'

'Ia, neu un Llanadda, neu'r ddau. Be petait ti a fi'n mynd i weld un Pen, a Babs a Sam yn mynd i Lanadda? Ella mai Sais sy'n fan'no.'

'Ew, be petai Mr Annwyl yn ffeindio allan lle 'dan ni'n byw ac yn mynd i ddeud wrth ein mama a'n tada ni?'

'Ddim peryg yn byd.'

'Pam?'

'Wel, mae o'n top sicret, yn tydi? Fasa fiw iddo fo agor 'i geg.'

'Os felly, neith o ddim agor 'i geg efo ninna chwaith.'

'Mae o'n werth trio, beth bynnag.'

Agorodd drws Bryn Glas. Roedd Mrs Felix wedi eu gweld yn dod ar hyd y ffordd.

'Sabel! Helô, Geini. Gwranda, picia i'r Co-op i mi cyn te, wnei di? Dwi wedi clywad 'u bod nhw wedi cael samon i mewn ac mae gin i ddigon o boints i gael tun. Deudwch chitha wrth eich mam hefyd, Geini. A dowch i gael te efo ni wedyn. I ddathlu hannar tymor.'

* * *

I Sabel roedd y Co-op yn emporiwm godidog, y nesaf peth at siopau mawr Lerpwl a feddai Penmarian. Parhâi rhyw awyrgylch o foethusrwydd yno o hyd yng nghownteri gwydr yr adrannau dillad, a mahogani a marmor yr adran fwyd lle y gellid cynnal *thé dansant* yn hawdd ar y llawr pren cwmpasog. Arno y sefylliai Sabel yn awr gydag amryw o ferched yn aros eu tro. Yn wahanol i'r arfer yn y siop sglodion doedd dim trefn weladwy yn yr aros. Roedd yn rhaid bod yn ddigon sylwgar i gofio pwy oedd yno o'ch blaen a nodi pwy a ddaeth i mewn ar eich ôl. Gan fod pawb yn gwneud yr un peth prin y gwneid anghyfiawnder â neb. Symudai'r gwragedd o gwmpas i weld beth oedd ar gael ar y gwahanol gownteri a'u hamgylchynai. Dawns araf ydoedd o lygadu ac aros. Gwnaeth Sabel nodyn o'r ffaith fod gwraig mewn twrban wedi ei dilyn i mewn i'r siop. Sylwodd ar y sgarff flodeuog a guddiai'r gwallt, cyn mynd ati i ddifyrru'r amser. 'Nesa?' meddai llais. Gwyliodd y gyllell fawr yn treiddio trwy'r mynydd o fenyn ar y marmor ac yna'r pwyso manwl ar y glorian. Daliai'r lle i edrych yn gyforiog o fwydydd i gyflenwi dogn pawb ond hiraethai am weld bocs o orenau ymysg y ffrwythau. 'Nesa?' Ar wal arall roedd silffoedd sgwarog o bacedi amrywiol. Tynnwyd ei llygaid gan y geiriau *Knight's Castile* ymysg y sebon a chamodd yn nes i weld llun y ferch landeg ar y papur.

'Nesa?'

Troes a gweld bod y twrban blodeuog eisoes yn cael ei neges wrth y cownter. Roedd wedi colli ei thro!

'Diolch yn fawr, Mrs Annwyl,' meddai'r siopwr. 'Rŵan, pwy sy nesa?'

'Y fi,' meddai Sabel. 'Tun samon, plîs.'

'Newydd werthu'r un ola i Mrs Annwyl, del bach.'

Edrychodd Sabel ar y tun yn cael ei roi'n frysiog yn y fasged. Oedodd y ddynes am eiliad a dal llygaid Sabel cyn rhoi tro ar ei sawdl.

'Mi fydd dy fam yn fflamio,' meddai'r siopwr. 'Oedd yna rywbath arall?'

'Na . . . Oedd!'

'Ia?'

'Y . . . sebon *Knight's Castile*, plîs.'

* * *

Daeth bore Sadwrn ac amser cynhadledd y giang. Nid oeddynt yn gyflawn oherwydd dim ond pan oedd angen cyngor terfynol a nerth braich y deuai Penri ond roedd Sam yno. Pasiwyd bod syniad Geini'n un da a daeth gwrid o bleser i'w bochau. Âi Sam a Babs i Lanadda'n ddiymdroi fore Llun, diwrnod Diolchgarwch, ac âi Geini a Sabel hwythau i wynebu gorsaf-feistr Penmarian fore Mawrth. Yn wyneb hyn, gohiriwyd gwneud trefniadau pellach tan y diwrnod hwnnw.

Doedd dim golwg o Mr Annwyl pan aeth y ddwy ffrind i chwilio amdano ar y dydd Mawrth. Gwnâi ei bresenoldeb yn amlwg iawn ar ddyddiau ysgol a disgwylient ei weld yn cerdded yn fân ac yn fuan ar hyd y platfform fel arfer.

'O ia, methu cadw draw hyd yn oed pan mae'n holides arnoch chi?' gwaeddodd y clerc ticedi trwy farrau ffenestr fechan ei gell. Fel arfer ni wnaent fawr ag ef gan fod ganddynt docyn tymor i fynd i'r ysgol. 'Be sy, genod bach?' Roedd yn darllen *Tit-bits*.

'Helô,' meddai Geini. 'Ydi'ch bòs chi o gwmpas?'

'Bobol bach, dydw i ddim digon da i chi?' a rhoes y cylchgrawn o'r neilltu yn barod am dipyn o hwyl. Roedd ganddo enw am fod yn un sobor am herian ac ofnai'r genethod na chaent lonydd, yn enwedig ar adeg slac.

'Gawn ni 'i weld o, plîs?' gofynnodd Geini, yn ddigon cwrtais ond yn ddi-lol. Yn amlwg, nid oedd am hel dail.

''Dach chi eisio i fi gael y sac? Mae o wedi picio i fyny i'r tŷ. Fydd o'n cael gair efo Winston Churchill 'radag yma bob bora i roi chydig o dips iddo ar sut i ennill y rhyfal.'

'Mi awn ni i ganu cloch y tŷ, 'ta,' meddai Geini a'i throi hi oddi yno.

Brysiodd Sabel ar ei hôl a'r ymadrodd 'amlhau gwael eiriau' yn chwyrlïo yn ei phen.

Trigai'r gorsaf-feistr mewn fflat hir uwchben mân swyddfeydd a chilfachau'r orsaf. Roedd Sabel wedi dotio at y lle erioed ac wedi dyheu am ei weld oddi mewn. Safai'r drws ffrynt yn wal allanol yr orsaf ac unwaith wrth gerdded heibio iddo ar ei ffordd i lan y môr gwelsai Mr Annwyl yn mynd i mewn drwyddo. Cawsai gip ar risiau serth ar yr ochr dde yn arwain i fyny at y tŷ hir. Dychmygodd y twrw a wnâi ei esgidiau twt ar y leino brown. Mae'n debyg y gwrandawai'r clerc am y sŵn hwnnw cyn dod â'r *Tit-bits* allan o'r drôr.

Yn awr roedd rhywun yn dod i lawr i ateb y drws ac yna clywodd Sabel lais croyw wrth ei hochr yn gofyn, 'Gawn ni air efo'r stesion-master, os gwelwch yn dda?'

Sythodd Mrs Annwyl cyn troi i edrych ar Sabel. Sylwodd y ddwy eneth ar ei llygaid yn agor yn lletach am eiliad a gwridodd y bochau main yn dywyll o dan y *rouge*. Ymddangosai'n fwy ansicr ac yn llai ymosodol heb y sgarff am ei phen.

'Mae gen i ofn ei fod o ar y ffôn. Ynglŷn â rhywbeth pwysig iawn, iawn.'

Er gwaethaf difrifoldeb y sefyllfa, daeth ysfa i chwerthin dros Sabel. Oedd o'n siarad efo'r Prif Weinidog mewn gwirionedd? 'Ylwch, Mr Churchill, beth am "*We shall fight on the beaches*?" Fasa hynna'n mynd yn *champion* dros yr awyr ar ôl tipyn o bractis. Rhowch yr hen hwyl Gymreig iddi, yntê? . . . O, rhaid chi ddim, tad.'

Pan ddaeth ei meddwl yn ôl i'r ddaear clywai Geini'n dal i siarad yn daer. 'Wel, mae hwn yn bwysig iawn, iawn hefyd.'

Edrychodd Mrs Annwyl ar Sabel unwaith eto a dechrau rholio cornel ei ffedog yn ei dwylo. Oedd ei chydwybod yn ei phrocio dan y ddwy res o berlau?

'Wel . . . well i chi ddod i fyny i aros nes bydd y gŵr wedi gorffen. Fuaswn i ddim yn gwneud hyn efo pawb, cofiwch. Sychwch eich traed, wnewch chi?'

Dyma fi'n cerdded i fyny'r grisiau yma o'r diwedd, meddyliai Sabel. Ar y leino cul a'r patrwm igam-ogam ar ei ymylon. Tramp, tramp, tramp, ac un reit drwm ar y top i wylltio'r llyfrbry oddi tanodd. Ar hyd y lobi hir efo drysau ar yr ochr chwith yn unig. Roedd yn union fel coridor trên! Efallai mai'r parlwr oedd y tu ôl i'r drws yma. Tybed oedd yna ddwy soffa gefnuchel hir yn wynebu ei gilydd ynddo fel mewn cerbyd trên a lluniau o'r Gleneagles Hotel a Southport ar y waliau uwchben? Wedi'r cyfan, mae'n rhaid eu bod wedi mynd i rywle.

Fel yr oedai gyda'i breuddwydion clywai lais yn y 'parlwr'. 'Yndi, mae'r neges yn glir gen i, syr . . . Ia . . . Nid bore dydd Gwener, ond dydd Iau.' Arhosodd Sabel yn ôl gyhyd ag y medrai yn esgus clymu carrai ei hesgid er mwyn clywed mwy o'r sgwrs. 'Ia . . . yp lein . . . Peidiwch â phoeni o gwbl, syr. Bydd pob un ar diwti.'

Roedd y ddwy arall wedi cyrraedd y stafell yn y pen draw a brysiodd Sabel yn ddistaw ar eu holau.

'Wnewch chi ddim mo'i gadw fo'n hir, na wnewch chi?' llediodd y wraig, fel petai ar bigau'r drain. 'Wn i ddim os ydw i wedi gwneud y peth iawn yn gadael i chi ddod i mewn. Mae o'n ddyn prysur, wyddoch chi, a job gyfrifol iawn ganddo fo. Steddwch am funud.'

Ar hynny crynodd y gegin. Neidiodd y genethod ar eu traed a gweld trên yn gwibio drwy'r orsaf oddi tanynt. Ni chlywsant Mr Annwyl yn dod i mewn.

'Iyng ledis eisio cael gair efo chi,' ac aeth Mrs Annwyl drwodd i'r gegin ond gadawodd y drws yn gilagored.

'Be sy?' gofynnodd y dyn. 'Mae'n amser i'n brin. Dydw i ddim ar fy ngwyliau fel chi, cofiwch.' Nid oedd yn angharedig ond daliodd i sefyll er mwyn dangos ei frys.

''Dan ni'n poeni am Mr Karl Davies,' meddai Geini, gan edrych ym myw ei lygad.

Camodd y dyn wysg ei gefn at ddrws y gegin a'i gau, heb gymryd ei sylw oddi ar Geini.

'Pwy?' gofynnodd gan smalio bod yn ddiniwed.

''Dach chi'n 'i nabod o'n iawn. 'Dach chi wedi'i helpu o i roi paced pwysig ar y trên,' meddai Sabel.

Gwelwodd y dyn ac ymbalfalu am gadair.

'A mae 'na ddynion drwg yn 'i wylio fo,' ychwanegodd Geini.

'Neu mae o'n ddyn drwg,' meddai Sabel. ''Dan ni ddim yn siŵr iawn, ond p'run bynnag, 'dan ni'n poeni'n ofnadwy y bydd rhywbath yn digwydd y tro nesa.'

'Y tro nesa? Be 'dach chi'n feddwl?' gofynnodd y dyn yn syn.

''Dach chi'n gwbod o'r gora be 'dan ni'n feddwl,' meddai Geini'n arwyddocaol.

'Drychwch, genod, fedra i ddim trafod y mater efo chi neu mi fasa'n ddigon amdana i.' Roedd yn dechrau mynd ar chwâl ond ymwrolodd yn sydyn. 'Does gen i ddim syniad am be 'dach chi'n sôn, wrth gwrs, ond, beth bynnag ydi o, fedra i ddim sbario mwy o amser,' ac agorodd ddrws y stafell fel arwydd iddynt fynd o'i olwg yn ddiymdroi.

'Plîs, plîs, gwrandwch arnon ni,' erfyniodd Sabel.

'Ylwch, 'dach chi'n rhy fusneslyd o lawer. Yn lle 'dach chi'n byw? A ble mae'r Mr Davies 'ma'n byw, neu beth bynnag ydi 'i enw fo?'

Erbyn hyn roedd y genethod yn brysio ar hyd y coridor gan gogio peidio â chlywed y croesholi. Unwaith drwy'r drws rhedodd y ddwy nerth eu carnau i fyny'r allt tua Glanrhyd.

'Gobeithio bod Babs a Sam wedi cael gwell hwyl na ni yn Llanadda,' meddai Geini, allan o wynt.

'Twt, welist ti bobol mewn oed yn gwrando ar blant erioed? Mi fasa 'na well trefn ar y byd 'ma petaen nhw, myn coblyn i.'

'Wel, dyna fo. Mi rwyt ti wedi trio deud wrth Karl a 'dan ni ill dwy wedi trio deud wrth y Mistar Prysur 'na, ac i be?'

'Ia, ond mi gafodd o dipyn o fraw, yn do? Mi aeth 'i wynab o fel y galchan am funud.'

'Ewadd, mae'n siŵr bod 'i wraig o amdani hi rŵan. Bron 'y mod i'n teimlo bechod drosti.'

'Mi ddaw'r tun samon 'na allan amsar swpar, decini, yn lle bod yr haul yn mynd lawr ar 'u rhywbath neu'i gilydd. Iesgob, oedd gin i ofn i ti ddeud wrtho fo lle roeddan ni'n byw.'

'Be wyt ti'n feddwl ydw i? Dwi wedi esbonio wrthat ti pam na fasa fo byth yn deud wrth yn rhieni ni. Hei, fasa fo unrhyw werth i *ni* ddeud wrthyn nhw? Wyt ti'n meddwl y basan nhw'n gwrando arnan ni?'

'Dim ffiars o beryg,' atebodd Sabel. 'Wel, ella y basan nhw'n gwrando ond chawn i ddim mynd allan am fisoedd wedyn. Fasa Mam yn cael ffit. "Stwnsian efo sbeis? Chlywis i rioed y fath beth. Aros i mi ddeud wrth dy dad." Fasa bywyd ddim gwerth 'i fyw.'

'Ia, felly fasa hi acw, mae'n siŵr. Ond wn i ddim sut fasa hi petai Penri'n deud wrthyn nhw. Ella fasan nhw'n gwrando arno fo.'

'Ond does 'na ddim amsar i fentro gneud hynna. Ella fasa fo ddim ond yn difetha popeth ar y funud ola. A dwi'n meddwl bod y funud ola'n agos iawn.'

Nid oedd yn syndod clywed na lwyddodd Babs a Sam yn Llanadda. '*Stuff and nonsense. Run along*,' oedd yr ymateb yn y fan honno. Ond cafwyd tipyn o sbort gyda'r cyflwyniadau dramatig o'r sefyllfa yn y naill le a'r llall. Chwarddodd Sabel gyda'r lleill ac eto curai'i chalon yn gyflym wrth feddwl am y sgwrs ffôn nad ynganodd air amdani wrth neb hyd yn hyn. Teimlai'n sicr ei bod yn bwysig. Soniodd tameidiau Mr Annwyl am newid yn y plan, fel y tybiai iddi glywed yn sgwrs Karl. Yn awr, wedi'r hwyl, sobrodd y cwmni bach pan ddywedodd wrthynt, a throesant ati ar unwaith i drafod o ddifri.

Ymddangosai'n debyg iawn mai dydd Iau oedd y diwrnod pwysig er mai ar y dydd Gwener y syrthiai'r dyddiad cywir, arferol. Hefyd ym Mhenmarian y llwythid y llun ar drên Llundain. Roedd Sam wedi esbonio ystyr yr yp lein.

Ni wyddent yn iawn sut i fynd o gwmpas pethau. Doedd ar yr un ohonynt eisiau mynd at yr heddlu, rhag ofn y byddent yn gwasgu'r stori i gyd allan ohonynt yn y croesholi, gan gynnwys rhan y chwarel.

Dichon y byddai tresbasu yn y mynydd, meddai Sam, yn cyfrif fel teyrnfradwriaeth. Roedd sïon am bobl yn cael eu hanfon dros y môr i lefydd fel Canada am wneud pethau amheus felly. Neu'n mynd i'r jêl.

'*And directly*,' rhoes Babs ei phig i mewn, '*without collecting £200*,' a difetha huodledd gwybodus ei brawd.

Ystyriodd Babs a Sam hwythau'r syniad o ddweud wrth eu rhieni ond daethant i'r casgliad mai gwell peidio. Weithiau gallai rhieni gymryd agwedd hollol gall tuag at bethau ond allech chi byth fod yn siŵr. Y peth gorau, meddai Sam, oedd gweithredu'n annibynnol.

Erbyn y prynhawn roedd wedi holi amser y trên mwyaf tebygol o Benmarian i Lundain. (Nid yr un a ddaliai Karl fel arfer o Lanadda a fyddai, gan y rhuai honno drwy orsaf Penmarian heb stopio.) Roedd hefyd wedi cwblhau cynllun gwylio i'r pump a rhoes gopi trefnus i bob un.

Dechreuodd Sabel ymarfer yn syth bin drwy wneud sbel ar y goeden. Ynghanol y dail gwyw craffodd ar y paentiad yn y ffenestr trwy sbienddrych Sam. Doedd Karl ddim yno ar hyn o bryd i ddod rhyngddi a'r llun a gallai ei weld yn ei gyfanrwydd. Darlun o ddyn a dynes mewn stafell, y ddau'n sefyll ochr yn ochr, y fo mewn het fawr ddu a hithau mewn gwisg laes werdd a glas. O'u cwmpas roedd dodrefn ac wrth eu traed, beth oedd o hefyd? Ci? Ia, ci bach efallai.

Dychwelodd Karl at ei waith. Astudio'n glòs a chamu'n ôl; ymlaen eto a thrin wyneb y ddynes yn araf. Gobeithio ei bod hi'n defnyddio *Knight's Castile*, synfyfyriodd Sabel, gan daenu'i llaw dros ei boch ei hun. Tybed ai'r llun hwn a welsai'r ddau ddyn o'u cuddfan yng ngwaelod yr ardd? Troes y sbienddrych at y llwyni ond doedd dim golwg o neb yno'n awr. Efallai eu bod wedi eu bodloni'r diwrnod hwnnw mai dyna'r paentiad y buont yn disgwyl amdano. Ac eto, oedd hynny ddim yn chwerthinllyd braidd? Golygfa mor gartrefol, gŵr a gwraig a chi bach? Oedd hwn, a phopeth arall, ddim yn gamgymeriad gwirion ar eu rhan wedi'r cyfan?

Y noson honno fe ddigwyddodd rhywbeth a wnaeth iddi golli'i ffydd yn llwyr. Roedd y ffrindiau wedi trefnu i gyfarfod o dan goeden y gwylio i fynd dros y cynllun yn fanwl ac yn derfynol efo pawb yn bresennol. Daliodd Penri'r giât fawr i'w chwaer a Sabel fynd drwyddi a cherddasant yn ddistaw bach drwy'r llwyni yng ngwaelod yr ardd. Roedd yn rhaid cyfarfod yn y dirgel, ymhell o glyw rhieni. Rhyfedd, felly, ymhen tipyn oedd clywed Sam a Babs yn rhedeg o'r tŷ tuag atynt heb wneud ymgais i fod yn ddirgel, a llais Babs yn yngan eu henwau mewn braw.

'Penri! Sabel! Geini!'

Cwil, meddai, roedd Cwil wedi'i ladd.

'*Missing, presumed dead*,' ychwanegodd Sam.

Trawyd y gweddill yn fud a chaeodd y distawrwydd deiliog am y cylch trwblus. Pwysai Sabel yn erbyn y boncyff a theimlai'r rhisgl yn erwin o dan gledrau'i dwylo.

Fedrwn ni ddim mynd ymlaen, meddai yn y man. Tydi o ddim yn bwysig bellach.

Ond fe'i syfrdanwyd gan ymateb Sam.

Wrth gwrs ei fod o'n bwysig. Dyma oedd eu cyfraniad nhw i'r rhyfel. Roeddynt hwythau'n cwffio yn erbyn drygioni.

Ond dim ond llun ydi o'n diwedd, mynnodd Sabel.

Na, mae o'n fwy na hynny, ebe Sam yn daer. Mae'n cynrychioli harddwch a gwirionedd a . . . a . . . gwareiddiad. Feddyliais i erioed y byddet ti ar ochr y Philistiaid, Sab.

Rhoes Sabel ei phen i lawr ar gangen a beichio wylo.

PENNOD 11

Y prynhawn canlynol eisteddai Sabel yn y goeden yn gwylio deilen yn disgyn i'r ddaear. Roedd y tywydd wedi troi. Cododd ei golygon i gyfeiriad Glanrhyd. Daethai mudandod mawr dros dŷ a arferai grynu gan nodau cerdd. 'Mae'n ddrwg gin i am eich profedigaeth chi,' fe'i cafodd ei hun yn sibrwd wrth y cerrig llwyd a'r ffenestri llwm. Clywsai ei thad a'i mam yn dweud hynny droeon. 'Job, 'te?' meddai wedyn wrthi'i hun. Dyna a ddywedai pobl Penmarian pan fyddai rhywun wedi marw. Trawai hynny hi'n od bob amser, tan yn awr.

Roedd yn dechrau cyffio. Lapiodd ei sgarff yn dynnach amdani. Aethai i'r drafferth i chwilio am gap a sgarff o liwiau'r hydref er mwyn bod yn guddiedig rhwng y dail.

'Doeddwn i ddim yn meddwl 'i bod hi wedi oeri gymint â hynny,' meddai ei mam wrth iddi gychwyn. 'Wyt ti'n hel am annwyd, dywad?'

Troes ei llygaid at Sefton Villa. Daliai Karl wrth ei waith, yn encilio unwaith yn rhagor i arfarnu'r darlun yn bwyllog. Roedd popeth mor araf a difywyd. Anodd credu eu bod mewn sefyllfa argyfyngus a'i bod hi a'i ffrindiau'n rhan o rwydwaith anaele.

* * *

Drannoeth, fodd bynnag, digwyddodd pethau'n frawychus o gyflym, er, pan wawriodd bore Iau, ni chredai Sabel mai hi a welai'r ddrama. Disgwylid mai o gwmpas yr orsaf y byddai'r cyffro gan fod Mr Annwyl wedi addo y byddai ei holl fintai ar ddyletswydd y diwrnod hwnnw. Yn ôl cynllun cyntaf Sam, hi a Geini a Penri oedd i fod wrth yr orsaf, a Sam a Babs oedd i wylio Sefton Villa oherwydd gallent redeg adref mewn dim amser i ddefnyddio'r ffôn petai angen. Ond roedd Mrs Elton wedi penderfynu yr âi â Polly efo hi i Lundain am noson yn ei hen gartref o ganol ei thrallod; i fynd â'i meddwl hi, meddai. Roeddynt i deithio ar y trên hollbwysig ac o dan yr amgylch-iadau ni allai Babs a Sam ffeindio rheswm digonol i'w dar-bwyllo rhag mynd y diwrnod hwnnw. Doedd dim i'w wneud ond danfon eu mam a'u chwaer i'r orsaf a cheisio gwneud eu rhan rywsut yn y fan honno. Byddai'n amhosib iddynt wylio Sefton Villa tra oedd eu mam yn paratoi ar gyfer y siwrnai. Fel arfer byddai'r holl deulu'n rhedeg i fyny ac i lawr y grisiau'n chwilio am bethau iddi. Felly fe newidiwyd y rota. Poeni wedyn y byddent yn cyrraedd yr orsaf yn rhy hwyr i fod yn effeithiol ond roedd Mr Elton, er mwyn arbed Polly rhag gorfod wynebu pobl ar y ffordd i'r orsaf, am ddanfon ei wraig a'i ferch yn y car yn ystod ei awr ginio. Pwysleisiodd y byddai'n rhaid gadael y tŷ mewn da bryd fel y gallai fod yn ôl wrth ei ddesg yn brydlon. Mynnodd Babs a Sam fynd hefyd a theimlent yn euog pan ddiolchodd eu mam iddynt am fod mor ffeind.

Felly Geini a Sabel oedd ar ddyletswydd ger Sefton Villa. Rhoesai Sam oriad sbâr iddynt allu mynd i mewn i Lanrhyd i ffonio mewn argyfwng. Bu'n dipyn o siom iddynt na chaent fod wrth y stesion ond rhaid oedd bodloni i'r drefn.

Ar un adeg ym Mryn Glas ar y nos Fercher bu Sabel yn teimlo nad oedd arni eisiau cymryd rhan yn y naill le na'r llall drannoeth a bu'n pryderu sut y gallai esbonio hynny wrth Geini. Roedd ei chalon wedi bod fel y plwm drwy'r dydd. Bu'n gwylio Karl o'r goeden nes iddo symud y llun o'r ffenestr, ei dynnu oddi ar yr îsl, yn barod, mae'n debyg, i wneud parsel rheilffordd ohono ond er bod geiriau Sam yn mynnu atseinio yn ei phen, yn gwrthod rhoi llonydd iddi, nid oedd wedi ei hargyhoeddi ei bod yn werth ymdrechu mwy.

Ar ôl te roedd ei thad a'i mam wedi mynd i weld rhieni Cwil a chafodd gyfle i fynd i'r stydi i chwilota ymhlith llyfrau celf ei thad rhag ofn fod unrhyw oleuni i'w gael yn y fan honno. Cawsai hyd i *Siarl y Cyntaf ar Gefn ei Geffyl* mewn llyfr yn llyfrgell yr ysgol ond dim byd am y llun a âi ar ei daith yfory. Hyd yn hyn nid oedd wedi mentro edrych ymysg llyfrau ei thad rhag ofn iddo ddechrau amau rhywbeth. Yn awr, a hithau ar fin rhoi'r gorau i'r cyfan, ni welai fawr o bwynt mewn bod yn ofalus. Brysiodd drwy'r llyfr cyntaf a'r ail heb ffeindio dim. Tynnodd y trydydd i lawr a throi un ddalen ar ôl y llall mewn anobaith; go brin y byddai'n dod o hyd i'r hyn y chwiliai amdano ymysg Darluniau Mawr y Byd. A! Dyna fo!

Aeth â'r gyfrol efo hi i'r gegin at gwmni'r tân glo yn y fan honno ac yno yr eisteddodd yn pwyso dros y llyfr ar ei glin. Gallai weld mwy o fanylion yn awr nag o'r goeden. Cannwyll yn olau. Orenau ar y gist. Ond daliai i amau a oedd hwn yn llun i greu helynt yn ei gylch. Dyn yn nhraed ei sanau? A'r hen derier bach yna fel petai o'n edrych ymlaen at gael cnoi sgert swmpus y ddynes unwaith y byddai'r artist yn dechrau golchi'i frwsys am y noson?

A, mi roedd yna ddrych ar y wal bellaf. Doedd hi ddim wedi gweld hwnnw o'r goeden chwaith. Hen làs bach del yn adlewyrchu'r stafell, yn gwneud iddi edrych yn grwn fel glôb. Dangosai beth oedd yn digwydd yn y pen arall iddi, a chefnau'r dyn a'r ddynes, yn peri nad oedd dim byd yn guddiedig nac yn ddirgel ym myd y darlun. Popeth yn braf o glir.

'Wel, mae'r hen lyfrbry bach wedi dod yn ôl aton ni,' meddai ei thad.

Daethai ei rhieni i mewn i'r gegin cyn iddi allu cau'r llyfr a rhuthrodd ei mam yn syth drwodd i'r lobi ac i fyny'r grisiau gan adael ei thad i ddweud rhywbeth i lenwi'r bwlch.

'Weles i'r llun yna yn yr Oriel Genedlaethol yn Llundain cyn y Rhyfel,' meddai gan edrych dros ei hysgwydd, 'ac mi wnaeth argraff fawr arna i. Wyt ti wedi sylwi ar y drych?'

O, beth oedd ots? Beth oedd ots? Meddyliodd am ei mam yn crio yn y llofft.

'A holl fanylion y stafell?' aeth ei thad yn ei flaen. 'Mae ystyr i bob un ohonyn nhw. Y byd hwn a'r byd arall i gyd mewn un stafell fechan. Dyna beth ydi athrylith.'

* * *

Gorweddai Sabel ar lawr y tu ôl i'r llwyni a ymylai ar ddreif Sefton Villa. Nid oedd wedi gorfod esbonio dim wrth Geini wedi'r cyfan a syllai'r ddwy yn awr drwy'r brigau isaf at ddrws y tŷ. Safai Penri yng nghysgod coeden ger y giât a'i feic yn barod, rhag ofn. Clywsant ddrysau'n cau'n derfynol yng

Nglanrhyd a sŵn car yn cychwyn. Ugain munud i fynd cyn amser y trên. Roedd popeth fel petai'n mynd yn iawn.

Distewodd sŵn y car yn y pellter a daeth ton o unigrwydd dros Sabel er nad oedd ar ei phen ei hun. Roedd gwacter mawr drws nesaf a chyfrinach yn y tŷ o'i blaen. Gwyddent fod Karl yno, o leiaf, oherwydd cawsent air brysiog â Babs a oedd wedi ei weld yn siarad efo'r dyn llefrith yn gynharach. Gwisgai'i gôt hyd yn oed bryd hynny fel pe bai'n barod i symud yn gyflym pan ddeuai'r alwad. Beth a wnâi yn awr tybed? Oedd o'n cerdded yn nerfus i fyny ac i lawr y cyntedd a'i sodlau'n taro ar y teils du a gwyn? Byddai'n rhaid i rywbeth ddigwydd unrhyw funud neu byddai'n colli'r trên.

Dim ond unwaith y collodd hi'r trên i'r ysgol hyd yma. Gorfu iddi gerdded i mewn yn hwyr i'r wers Ddaearyddiaeth.

'*I lost the train, Miss Tate.*'

'*Oh, I hope you found it*,' meddai'r hen sychan, a chwarddodd rhai o'r ifaciwis yn y desgiau blaen. Weithiau roedd Saesneg y Saeson yn ddirgelwch iddi.

Rhaid iddi ganolbwyntio yn lle breuddwydio fel hyn. Rhyfedd fel y gallai'r meddwl ddianc rhag enbydrwydd y presennol.

* * *

Yn y cyfamser roedd teulu Glanrhyd wedi cyrraedd yr orsaf mewn hen ddigon o bryd, yn ôl yr hanes wedyn. Croeswyd y bont haearn cris-groes i'r yp lein ac yna sefyllian am yn hir o dan y bondo yn sgwrsio'n ysbeidiol. Ni wyddai Babs a Sam beth i'w ddweud wrth Polly, a Mrs Elton oedd yn cynnal y sgwrs, fel pe bai'n deall eu hanhawster. Cyn gadael y tŷ roedd y ddau wedi cytuno nad oeddynt am aros gyda'u mam a'u chwaer nes cyrhaeddai'r trên. Roeddynt am adael ar ôl cyfnod priodol a'i gwneud hi am y fynedfa gan mai yno, yn eu tyb hwy, y digwyddai'r cipio, os o gwbl. Roedd Mr Annwyl a'i griw bychan yn aros yn awr ger y fynedfa, gyferbyn â hwy dros y cledrau. Edrychent yn ddisgwylgar i fyny'r allt.

Yn ôl yn Sefton Villa daethai terfyn sydyn ar freuddwydio Sabel pan wibiodd y tanc i fyny'r dreif. Gwnaethpwyd tro crefftus ger y tŷ nes bod cefn y car bron ar garreg y drws. Llamodd y gyrrwr allan ac ymddangosodd Karl ar y trothwy yr un pryd. Agorodd y gyrrwr ddrysau ôl y cerbyd. Derbyn parsel oddi wrth Karl a'i ddodi'n ofalus ddeheuig yn y car fel actor wedi ymarfer ei symudiadau at berffeithrwydd. Cloi cefn y car wedyn tra oedd Karl wedi troi i gloi drws y tŷ. Yr eiliad hwnnw neidiodd dau ffigur cyfarwydd o'r tu ôl i'r gwrych bytholwyrdd wrth ochr y drws. Hyrddio'u hunain i'r tanc a rhuo i lawr y dreif. Fel yr aent heibio gwelodd y genethod ddryll yn llaw'r dyn nesaf atynt yn cael ei anelu at yrrwr swyddogol y tanc, a ddaliai i redeg ar ôl y lladron. Roedd Karl wedi rhuthro at y garej i nôl y car bach du a galwodd ar ei bartner i ddod yn ei ôl.

'Be wnawn ni rŵan?' gofynnodd Geini.

Roedd y ddwy wedi fferru yn y fan. Nid oeddynt wedi ystyried dim byd mor ofnadwy â gwn ac roedd bod mor agos at un yn brofiad parlysol. Gwelsant draed Penri'n carlamu i fyny'r dreif.

'Ga' i'ch helpu chi? Mae gin i feic.'

'Diolch, na,' atebodd llais Karl. 'Wel, efallai'n wir gan fod beic gennych. Byddai hynny'n rhyddhau'r dreifer i geisio dilyn y lladron yn y car. Ewch i lawr i'r stesion ar unwaith a dweud wrth Mr Annwyl am adael i'r trên fynd. Af innau ar y teleffon efo'r polîs.'

Cyn iddo orffen siarad bron, roedd Penri wedi cychwyn ar ei berwyl pwysig. Bu'n rhaid i'r genethod, a oedd wedi magu digon o blwc erbyn hyn i adael eu cuddfan, frysio allan o'i ffordd. Edrychodd Karl yn syn ar y ddwy a rhyw olwg 'Faint chwaneg, ohonoch chi?' ar ei wyneb. Moesymgrymodd yn hanner ffurfiol.

'Esgusodwch fi,' meddai a chaeodd y drws.

* * *

Yn yr orsaf roedd y teulu Elton yn dal i sefyll. Er y cytundeb ymlaen llaw i beidio ag aros drwy'r amser, pan oeddynt yno ni wyddai Babs a Sam sut i fynd, heb ymddangos fel pe baent yn malio dim. Eu mam a roes y cyfle iddynt drwy ddweud nad oedd angen aros mwy a diolchodd iddynt yr eilwaith am ddod. Gadawodd Sam bron ar unwaith a cherdded yn ôl am y bont a'i ddwylo yn ei bocedi ond wedi cyrraedd gwaelod y grisiau dechreuodd eu dringo ddau ar y tro. Gwyddai fod Mr Annwyl ger y fynedfa o hyd ac nad oedd yn rhy hwyr iddo chwarae'i ran.

Treuliodd Babs fwy o amser yn ffarwelio ac fel y cerddai'n ôl ar hyd y platfform clywodd sŵn y signal yn newid. Roedd y trên yn nesáu a'i chwiban i'w chlywed yn glir yn y ceunant gerllaw. Cafodd gip unwaith eto ar draws y cledrau ar Mr Annwyl a'i ŵyr, a Sam hefyd erbyn hyn yn loetran yno, cyn i'r olwynion mawr arafu'n swnllyd o flaen ei llygaid. Agorodd drws, a dyna lle roedd yr arolygwr, a fu mor swta gyda hi a Sam y diwrnod o'r blaen, ar fin camu allan o fen y giard. Syllodd arni am ennyd cyn troi at Mr Annwyl, a oedd yn rhedeg i lawr grisiau'r bont a'i wynt yn ei ddwrn. Safodd y ddau swyddog rheilffordd i siarad yn ddwys. Clywyd y ffenestri ar hyd y trên yn cael eu gostwng a gwthiwyd pennau allan ohonynt i weld beth oedd yn cyfrif am yr oedi. Estynnodd yr arolygwr ei wats o'i boced a dechrau cerdded i fyny grisiau'r bont efo Mr Annwyl. Y funud honno gwelwyd Penri'n rhedeg ar hyd y bont agored i'w cyfarfod. Ysai Babs i wybod beth oedd yn cael ei ddweud gan y tri fel y safent fry a dim ond yr awyr yn gefndir i'r hetiau swyddogol a breichiau huawdl Penri. O'r diwedd rhoddwyd caniatâd i'r giard chwifio'i faner werdd.

* * *

Teimlai'r giang yn fflat iawn wrth yfed te yng nghegin Glanrhyd yn ddiweddarach. Roedd yr antur a'r holl waith ditectif wedi bod yn fethiant. Gwelsent helmet P.C. Landeg ar lintel ffenestr yn Sefton Villa ac yn ddigon siŵr roedd y gwifrau teleffon uwch eu pennau yn cludo negeseuon brys yma a thraw, ond doedd dim rhan iddynt hwy yn yr holl weithgarwch. Profiad annifyr oedd bod allan ohoni.

'Twt. Dydw i ddim am boeni, wir,' meddai Geini ar y ffordd adref. 'Ddaru ni neud ein gora a dyna fo. Os nad ydyn nhw'n gallu cymyd mantais o'n brêns ni yna 'u bai nhw ydi o. Yli, alwa i amdanat ti heno ac awn ni am werth chwech o *chips* cyn gwrando ar *Itma*. Iawn? Ta-ra.'

Gwnaeth Sabel geg gam a throi i lawr am adref.

'Iawn, Mona Lot?' gwaeddodd Geini o ben y lôn.

Edrychodd Sabel yn ôl arni heb ddweud dim.

* * *

Pan ganodd y ffôn llamodd ei chalon wrth glywed llais adnabyddus.

'Sabel?'

'Ia?'

Oedd o'n mynd i erfyn am ei chymorth wedi'r cwbwl ar ôl i P.C. Landeg a'r bobol bwysig i gyd fethu?

'Ydi'ch tad i mewn?'

Suddodd ei hysbryd. 'Na, ond fydd o ddim yn hir.'

'Wnewch chi ddweud na fedraf ddod am wers yr wythnos nesaf eto? Mae'n edrych yn debyg y bydd yn rhaid i mi fod i ffwrdd am rai dyddiau.'

'O.' Ni allai atal ei hun rhag gofyn, 'Oes 'na ryw newydd am y car?'

Saib hir.

'Dim newydd o gwbl . . . Diolch i chi,' a rhoes y ffôn i lawr.

'Pwy oedd yna?' gwaeddodd ei mam o'r gegin.

'Karl Davies yn dweud 'i fod o'n gorfod mynd i ffwrdd am dipyn.'

'O, mi fydd dy dad yn 'i golli o. Mae o'n sgolor rhagorol. Yn gwrando'n astud, medda dy dad, ac yn cymyd popeth mae o'n 'i ddeud i mewn.'

'Ydi o, wir?' meddai Sabel wrth ddringo'r grisiau. 'Lwcus i Dad, 'te?'

Ni wyddai beth i'w wneud â'i hun. Ceisiodd orfodi ei hun i ddarllen ond ni fedrai roi ei meddwl ar ddim. Cododd at y ffenestr. Roedd cath drws nesaf ar y lawnt yn gwylio adar. Sgwrsiai'r wraig drws nesaf-ond-un dros y gwrych gyda'i chymdoges. Popeth yn mynd yn ei flaen fel pe bai dim byd syfrdanol wedi digwydd. Campwaith o lun wedi ei ddwyn a rhywun ar y traeth yn taflu darn o bren i'r tonnau er mwyn i gi gael tipyn o ymarfer corff. Dilynodd ei llygaid ef yn nofio allan i'r dŵr. Llithrodd ei threm ymhellach tua'r cefnfor. Llong ryfel ar y gorwel yn araf symud ar ei dirgel hynt. A rhywbeth yn nes yma hefyd. Llong fechan, lwyd.

'Sabel! Te'n barod, 'raur.'

* * *

Ar y ffordd adref o'r siop sglodion daeth egwyl o fwynhad dros Sabel wrth roi'i dwylo am feddalwch cynnes y parsel papur a chau'i gwefusau ar wres pigog yr halen. Am oriau bu'r siom a'r methiant yn pwyso'n wag o gwmpas ei chalon, a daeth y cysur synhwyrus hwn â munudau ysgafn o angof. Nes gweld Jethro ger drws y Bron yn rhwbio'i ddwylo yn ei gilydd wrth droi tua'i fwyniant a chefnu ar ias yr hydref.

''Dach chi am droi i mewn heno, genod?'

'*I don't mind if I do*,' atebodd Geini'n hwyliog.

Ymddangosai'n bell iawn yn ôl er iddynt gael eu dal yno'n sbecian a gweld y ddau ddyn hynny yn y dafarn. Ble roeddynt yn awr, tybed? Yn dal i foduro'n wyllt i ryw fan cyfarfod cêl? Daeth chwa o aer mwll o'r bar wrth i Jethro ddiflannu y tu hwnt i'r llenni melfed.

'Ewadd, mae'n gynnas yn fanna, beth bynnag,' meddai Geini, a'i cheg yn llawn.

Dim rhyfedd ei fod yn hoff o'r lle, meddyliai Sabel. Hen waith oer oedd paentio a phapuro. Unwaith bu hi'n helpu ei mam i baentio'i llofft. Mynnai ei mam gadw'r ffenestr ar agor rhag ofn iddi sticio a chofiodd fod ei bysedd wedi glasu wrth ddal y brws. Sylwodd ar ddwylo oer Jethro un diwrnod pan oedd yn paentio'i gwch ar lan y môr.

'Geini!' Roedd syniad yn dechrau ffurfio yn rhywle yn ei phen.

'Be?'

'O, dim byd.' Cawsai'r argraff yn gynharach fod ar Geini eisiau ffarwelio am byth efo stori'r mynydd.

'Be?' mynnodd Geini.

'O, 'nei di ddim ond chwerthin am 'y mhen i.'

'Tyrd o'na. Mi allwn i neud efo dipyn bach o hwyl.'

'Dyna fo, ti'n gweld. Ti'n dechra arni'n barod.'

'Ydi o'n rhwbath i neud efo'r llun?'

'Yndi.'

'Wel, tyrd yn dy flaen 'ta, achos mi rydw inna wedi bod yn meddwl amdano fo drwy'r pnawn. Ac os wyt ti eisio gwbod mi es i o gwmpas ar 'y meic i chwilio am y tanc, rhag ofn nag oeddan nhw ddim wedi mynd yn bell iawn yn diwadd.'

'Wir yr?'

'Wir yr.'

* * *

Roedd y gwreichionyn hwn yn ddigon i danio'r ysbryd ac mewn fflach datgelodd Sabel beth oedd wedi taro'i meddwl mor sydyn wrth y Bron. Rhaid oedd gweithredu ar unwaith a rhuthrodd y ddwy i lawr stepiau cefn Bryn Glas i ffonio Babs i ddod i'w cyfarfod i fynd i lan y môr. Roedd angen cynllun brys. Waeth befo'u hoff raglen ar noson fel heno.

PENNOD 12

Wedi cyrraedd y traeth roedd rhimynnau oren y machlud yn dal i oleuo'r gorllewin ac o'u blaenau gwelid disgleirdeb tywyll y llanw llawn. Ar y chwith, y llain o laswellt yn ymestyn at wynder gwyw y cabanau, eu drysau gwyrdd a'u ffenestri wedi'u bario rhag stormydd y gaeaf. Draw wedyn y cytiau pren a chychod rhwyfo Jethro ar y gwair gerllaw. Gellid gwneud allan y swp o ddüwch yn y pellter lle y gorweddent wyneb i waered.

Roeddynt wedi siarsio'i gilydd i fod yn hollol ddistaw oherwydd, pe bai damcaniaeth Sabel yn gywir, gallent fod mewn perygl. Efallai'r tro hwn y byddai'r gwn yn cael ei danio. Eu gorchwyl oedd edrych allan am ddau beth: golau'n fflachio draw ar y môr ac unrhyw symudiad o gwmpas y rhes gychod.

Ar y ffordd i lawr adroddodd Sabel fel y gwelodd olau o'r môr un noson ac iddi gofio wedyn am Jethro'n sôn bod un o'i gychod wedi cael ei ddefnyddio'n ddiweddar. Gwawriodd y syniad arni ger y Bron fod cysylltiad efallai rhwng y ddau ddigwyddiad. Oedd rhywun wedi bod yn ymarfer ar gyfer cludo'r llun dros y dŵr i rywle? At y llong fechan, lwyd! Roedd y darnau'n ffitio i'w lle fel y deuai'r atgofion yn ôl, o un i un. Y ddau ddyn yn yr haf hefyd yn rhwyfo'n bell allan. Buont yn paratoi ers tro.

Penderfynwyd eisoes y byddai to'r cabanau yn safle manteisiol. Teimlai concrit y grisiau'n gadarn o dan eu pwmps ysgol wrth iddynt ddringo'n llechwraidd. Safent yn awr yn pwyso dros y ganllaw haearn yn syllu ar draws y prom at y môr. Byddai'n rhaid bod yn amyneddgar, ac fel yr âi'r amser heibio poenai Sabel yng nghefn ei meddwl am adwaith ei rhieni pan ddeuent adref o'r Seiat i dŷ gwag. Cawsai'r argraff eu bod yn fwy anesmwyth amdani'n ddiweddar.

Medrid canfod siâp y tŵr plymio, yn ddu yn erbyn glas tywyll y môr a'r awyr. Gwanychodd gwawl llidiog y gorllewin ond roedd eu llygaid yn dod i arfer â'r nosi. Cydiodd Babs ym mraich Sabel, efallai oherwydd ei bod yn oeri, neu am fod arni ofn. Nid oedd bod allan yn y nos yn mennu dim ar y ffrindiau fel rheol; crwydrent yn ddifeddwl yn rhyddid eu cynefin. Ond roedd heno'n wahanol. Roedd yr anwybod yn fygythiad hollbresennol a'r olygfa o'u cwmpas fel pe bai'n aros am rywbeth: y dŵr a'r tŵr plymio, y glaswellt a'r cychod, i gyd mewn llonyddwch parod fel rhedwr yn disgwyl am y gwn cychwyn. Y tu ôl iddynt safai'r mynyddoedd mewn hanner cylch fel pe ar flaenau'u traed, yn aros, a thu draw i'r rheini y mynydd anweladwy yn bresenoldeb disgwylgar o bell.

Tynnodd Babs ei braich yn ôl fel pe bai'n paratoi i osod ei hun ar gyfer ras. Hi oedd y chwimaf ohonynt a hi a ddewiswyd i wibio am gymorth ar ei beic pe bai raid, tra cadwai Sabel a Geini lygaid barcud ar y cychod. Unrhyw funud efallai y gelwid arni i rasio i lawr y stepiau a throi i'r dde oddi ar lan y môr ac am y twnnel dan y rheilffordd nes cyrraedd y beic yn y clawdd tal ger y maes bowlio. Pwy fyddai'r cyntaf i gyrraedd P.C. Landeg, tybed? Ai hi, ynteu Penri a Sam? Gwyliai'r ddau fachgen yn uwch i fyny ger lôn Bryn Glas. Yno roedd lwcowt fel hanner tŵr a mainc ar ei draws, i'r dim i gariadon glosio at ei gilydd arni neu i ysbïwyr sefyll arni i wylio'r bae. Pe gwelai'r hogiau rywbeth amheus byddent yn nhŷ'r heddwas mewn chwinciad o'r fan honno. Hyd yma buont yn gyndyn o fynd yno ond tybiai'r giang y byddai'n saff gwneud hynny'n awr oherwydd byddai'r cwnstabl yn rhy brysur yn neidio iddi i holi gormod arnynt. Ni wyddai'r un ohonynt at bwy arall i fynd. Nid oedd hanes am Karl ac roedd ei dŷ fel y bedd.

* * *

Pan fflachiodd y golau nid o'r môr y daeth ond o'r caban yn union o dan y merched. Safasant yn stond am rai eiliadau gan feddwl eu bod wedi eu dal. Wedi i'r golau ddiffodd, fodd bynnag, nid oedd dim cythrwfl yn y distawrwydd du. Diolch eu bod wedi newid i'w pwmps ysgol cyn dod allan! Trodd Sabel at Geini ond cafodd bwniad hir yn ei hochr fel rhybudd i sefyll yn ei hunfan heb symud gewyn.

Ail fflach oddi tanynt! Eto am ennyd goleuwyd y glaswellt o'u blaenau. Yna, o'r môr, y fflach-ateb lachar, fyrhoedlog.

A dyna'r ras yn cychwyn. Bollt yn cael ei dynnu a drws yn agor. Dau ffigur yn rhedeg, yn afrosgo braidd, ar draws y glaswellt tua'r cychod. Trodd Sabel at Babs ond doedd dim sôn amdani. Aethai am y beic gydag ysgafnder anifail. Arhosodd Sabel a Geini yn eu hunfan. Ni feiddient roi arlliw i'r dynion fod neb yn eu gwylio. Teimlai Sabel braidd yn eiddigeddus o Babs, a'r hogiau hefyd achos byddent hwythau wedi gweld y fflach sydyn o'r môr. Ond ceisiodd ddarbwyllo'i hun fod cadw llygad ar hynt y dihirod nes deuai'r heddlu yn orchwyl llawn mor angenrheidiol. Oedd rhyw fardd wedi dweud bod aros a disgwyl cyn bwysiced â rhedeg a rasio? P'run bynnag, er mai sefyll oedd eu rhan, roedd pethau'n symud o flaen eu llygaid.

'Yli, maen nhw'n stryffaglio efo'r cwch i lawr y jeti bach,' sibrydodd Geini, yn amlwg yn teimlo'n ddigon hyderus i dorri'r distawrwydd gan fod pellter rhyngddynt a'r lladron erbyn hyn.

'Peth rhyfadd fod gynnon nhw'r nerth achos doeddan nhw fawr o redwrs.'

'Nag oeddan. Ond am 'u bod nhw'n cario rhyw betha, dyna pam.'

'Wel, y llun siŵr iawn, 'te?'

'A rhywbath arall hefyd, dwi'n meddwl, ond fedrwn i'n 'y myw weld yn iawn. Mi ro'n i'n dal i weld lliw gwyrdd y glaswellt o flaen fy llygid ar ôl y fflachio 'na.'

Sŵn cwch yn taro'r dŵr.

Ar hynny brysiodd Geini am y grisiau a rhedeg i lawr at fin y prom uwch cerrig y traeth. Herciai Sabel ar ei hôl. Teimlai fel rhywun heb draed ar ôl fferru gyhyd yn y pwmps tenau. Tu mewn iddi, fodd bynnag, cynheswyd ei chalon gan y wefr o fod yn iawn. Ond beth petai lluoedd cyfraith a threfn yn cyrraedd yn rhy hwyr?

'Lle maen nhw? Lle maen nhw?' sibrydodd.

'Bron â chyrraedd y deifin bord,' atebodd Geini gan gamddehongli'r cwestiwn ond waeth befo, meddyliodd Sabel.

Er ei bod yn anodd i'r llygad ei ddilyn, tybient y gallent ganfod y cwch yn symud. Ond gymaint yn haws yn y tywyllwch oedd clywed na gweld. Wrth i'r ddwy rythu i'r nos trawodd sŵn y rhwyfo rheolaidd ar y glust, slap y pren yn erbyn y llif. Yn nes atynt sŵn crensian cerrig y lan yn cael eu haildrefnu gan y tonnau, a chri galarus gwylan wedi'i haflonyddu. Yna'r sŵn yr hiraethent amdano—sŵn lleisiau dynol. Troesant a gweld dau gar ar y prom a hetiau plismyn yn symud yn erbyn awyr y gorllewin i lawr y lanfa. Roedd llais dwfn P.C. Landeg i'w glywed o gyfeiriad cychod Jethro. Diolch fod rhywun wedi gwrando o'r diwedd! Yn sydyn llanwyd yr aer gan floeddio awdurdodol o'r lanfa.

'Sobrwydd, dydyn nhw rioed yn meddwl fod y cwch yn mynd i droi'n ôl yn ddiniwad fel tasa nhw ar y Marine Lake?' gofynnodd Geini.

Ond yn rhyfedd, ymddangosai'r cwch am funud fel petai am ymateb i'r alwad. Roedd yn sefyllian y tu hwnt i'r tŵr plymio fel petai'n ailfeddwl. Neidiodd Geini i fyny ac i lawr, nes gweld cysgod tywyll yn tynnu allan am y môr mawr drachefn at y llong fechan a ddisgwyliai yn rhywle yn y düwch.

'Iesgob, tyrd o'na, Geini,' meddai Sabel, a rhedodd y ddwy tua'r lanfa.

'Ydach chi ddim am fynd ar 'u hola nhw mewn cwch?' gofynnodd Geini i P.C. Landeg.

'Mae 'na ddigon ar y gwair yn fan'cw,' ychwanegodd Sabel, 'yn gneud dim byd.'

'Dim rhwyfa,' meddai'r heddwas a'i holl sylw ar yr hyn a ddigwyddai ar y dŵr.

Wrth gwrs! Dyna beth a gludai'r ddau ddyn wrth geisio rhedeg ar draws y glaswellt, meddyliodd Sabel. Roedd ganddynt eu rhwyfau'u hunain yn y caban.

Troes P.C. Landeg fel pe bai'n ymwybodol ohonynt am y tro cyntaf a gwyrodd i'w gweld yn iawn.

'Moses ac Aaron, be ar y ddaear 'dach chi'n neud yma? Adra ydi'ch lle chi. Ffwrdd â chi ar unwaith. Nid chwara plant ydi peth fel hyn.'

'Wel!' meddai Geini. 'Mi ddylach chi fod yn—'

'Ust!' meddai swyddog yr ochr draw i Landeg. 'Diolch i'r drefn! Maen nhw wedi cyrraedd mewn pryd.'

Llonyddodd pawb a chlustfeinio. Oedd, roedd sŵn cwch-modur allan yn y môr a rhywun yn defnyddio uchelseinydd.

'Dew, mi fu gwylwyr y glanna'n giwt iawn yn gweld y fflach yna,' meddai het big ymhellach draw.

Troes P.C. Landeg a'i freichiau ar led i roi gwth caredig i'r genethod a ddechreuodd gerdded yn siomedig oddi yno. Siriolodd y ddwy, fodd bynnag, pan welsant weddill y giang yn rhedeg tuag atynt. Bu cyfnewid hanes yn frysiog. Clywyd gan Babs fod Sam a Penri gyda'r heddlu pan gyrhaeddodd ar ei beic a bod miri mawr yno'n barod oherwydd bod gwylwyr y glannau wedi gweld y fflach o'r llong. Diolchwyd i Babs am roi gwybod yn union i ble i fynd ar y traeth er mwyn arbed amser, ond doedd hynny fawr o gysur.

Erbyn hyn roedd y cwch-modur wedi cyrraedd y jeti gyda'i ddalfa ac roedd torf fechan wedi ymgynnull o rywle: cariadon o'u cilfachau a thrigolion cyfagos wedi dychryn efo'r uchelseinydd. Teimlai'r plant y gallent yn ddiogel fynd i fusnesa heb dynnu sylw atynt eu hunain. Er i'r heddlu siarsio pawb i gadw draw, dal i glosio a wnâi pawb. Pryder mwyaf pump o'r dyrfa oedd am y darlun a gwnaethant eu gorau glas i bwnio'u ffordd i'r canol i gael sbec iawn. Byddai wedi bod yn bosib canfod, hyd yn oed yn y tywyllwch, fod rhywun yn ei gario. Ond doedd dim sôn am y paced gwerthfawr er iddynt ddilyn yr orymdaith yn bybyr bob cam yn ôl at fodur yr heddlu.

PENNOD 13

'Stori'n dew ar hyd y pentra fod 'na ryw helynt ar y traeth neithiwr,' meddai Mrs Felix fore trannoeth wrth daro basged lawn ar fwrdd y gegin.

'Beth oedd, felly?' gofynnodd ei gŵr gan ymddangos o'r stydi.

'Wyddai neb ddim byd yn iawn, wrth gwrs, ond bod 'na gwch-modur go grand a phlismyn o gwmpas. Ond dyna fo, mae petha rhyfadd yn digwydd ar garreg eich drws chi bron a chewch chi byth esboniad. Glywist ti ddim byd, Sabel? Mi roeddat ti ar hyd y fan 'na tan berfeddion.' Daliai i gadw'r neges yn y pantri heb aros am ateb. 'Mi fydd yn rhaid cael gwell trefn 'rwythnos nesa pan ailagorith yr ysgol,' a sylwodd Sabel ar yr edrychiad a roes ar ei thad. 'Drychwch faint o fenyn ges i, mewn difri calon,' meddai, 'ac mi aethon nhw i'r drafferth i dynnu mymryn dim mwy nag ewin 'y mys bach i oddi arno fo!'

'Fedri di sbario dipyn o ddail te i wneud panad i ni?' meddai Mr Felix a gwên yn ei lygaid.

Perfeddion, wir, meddyliai Sabel. Daethai i'r tŷ toc ar ôl deg a mynd yn syth bron i'r gwely er mwyn osgoi gormod o holi a stilio. Ni chysgodd, fodd bynnag, a bu am oriau'n troi a throsi'n ceisio dyfalu beth a ddigwyddodd i'r darlun. Buont yn chwilio'n ofer yn y cwch ar ôl i bawb wasgaru ac yna yn y caban ond doedd dim byd yno chwaith ar wahân i hen wrthban ac un neu ddwy o frechdanau anghynnes.

* * *

'Tybed ydi'r llun yn dal yn y tanc, a lle goblyn mae hwnnw erbyn hyn?' gofynnodd Geini ar lan y môr yn y prynhawn. Aethai Sabel a hithau am dro er mwyn mynd dros y cyfan unwaith eto i weld a ddeuai llygedyn o oleuni o rywle. Galwasent am Babs ond roedd hi'n rhy brysur yn tacluso'r tŷ ar gyfer dychweliad ei mam a Polly. Gwag iawn oedd Sefton Villa, meddai. Ni chawsai P.C. Landeg ateb yno'r bore hwnnw. Rhaid ei fod yntau yn y tywyllwch.

'Waeth befo am y tanc,' atebodd Sabel. 'Tydi'r llun ddim yno fo i ti neu beth oedd pwynt mynd yn y cwch o gwbwl?'

'Ia, ond ella fod petha wedi mynd o chwith a'u bod nhw wedi gorfod dianc ar frys heb y llun. Ac eto mi faswn i'n taeru 'mod i wedi gweld un ohonyn nhw'n i gario fo at y cwch 'blaw nag oedd 'na ddim golwg ohono fo wedyn.'

Safent yn awr gyferbyn â'r tŵr plymio fel y noson cynt yn ceisio ail-fyw'r digwyddiadau. Roedd yr amgylchiadau'n bur wahanol, wrth gwrs, gan ei bod yn olau dydd a'r llanw allan. Roedd yn ddiwrnod gwyntog, oer, a nemor neb o gwmpas.

'Mi ges i goblyn o brofiad rhyfadd wrth sefyll yn fan hyn neithiwr,' meddai Geini ar ôl saib. 'Er 'y mod i eisio iddyn nhw gael eu dal, mi ffeindis 'y mod i ar 'u hochor nhw am funud ar ôl i'r polîs gyrraedd, 'run fath ag yn y pictiwrs weithia pan mae'r *sheriff* bron â dal y cowbois drwg. Mi roeddwn i'n deud, "Gŵ-on, gŵ-on" yn 'y meddwl achos mi roeddan nhw fel petaen nhw wedi stopio, yn lle 'u bod nhw'n dal i fynd ymlaen fel fflamia.'

'Dechra gweld nag oedd gynnon nhw ddim siawns yn erbyn y cwch-motor oeddan nhw, mae'n debyg.'

'Na, dyna oedd yn rhyfadd. Mi roeddan nhw wedi stopio wrth y deifin bord cyn i neb glywad y cwch-motor. Fedrwn i mo'u dallt nhw.'

'Geini!' gwaeddodd Sabel. 'Y deifin bord!' a dechreuodd redeg i lawr y lanfa heb esboniad pellach.

Erbyn iddynt gyrraedd rhyddid eang y tywod roedd Geini wedi deall meddwl Sabel ac yn achub y blaen arni efo'i choesau hirion. I fyny'r ysgol haearn â hi at lawr petryal cyntaf y tŵr a dyna roi bloedd dros y traeth i gyd: 'Sab, mae o yma!'

Dringodd Sabel y grisiau rhydlyd nes i'w phen ymddangos dros ymyl y llawr pren ac yna rhoes lond ceg o wên ar ei ffrind.

Wrth dderbyn y parsel oddi wrth Geini synnodd ei fod mor drwm ac, er ei fod yn ddigon twt i'w gludo nôl ac ymlaen o'r chwarel, ni fyddai neb yn mynd ag o i fyny ac i lawr tŵr plymio o ddewis. Roedd yn dipyn o goflaid ond medrodd roi un fraich amdano a'i wasgu at ei mynwes. Dechreuodd deimlo'i ffordd i lawr ag un droed, gan gydio'n dynn yn ffon haearn yr ysgol â'i llaw rydd. O'r diwedd cyffyrddodd blaen ei throed â'r gris nesaf a gollyngodd y droed arall i lawr i'w chanlyn. Yn awr cynnal cydbwysedd er mwyn symud ei llaw rydd yn gyflym o'r gris uchaf i'r nesaf i lawr. Gwnaeth yr un peth eto: un droed i lawr nes teimlo'r gris oddi tani, gollwng y droed arall i'w chanlyn a symud ei llaw'n chwim o un afael i lawr at y nesaf. Gorffwysodd am ennyd. Roedd y gwynt a'r haearn ciaidd yn dechrau parlysu'i llaw. Symudodd ei bysedd i fyny ac i lawr fesul un er mwyn i'r gwaed redeg drwyddynt yn rhwyddach. Unwaith eto dechreuodd ymestyn ei throed i lawr mewn ffydd ond roedd ei llaw yn mynd yn llipa. Llaciodd ei gafael nes peri i'w throed lanio â'i holl bwysau ar y gris nesaf. Sigodd yr haearn rhydlyd, brau, ac i lawr â'r llun, a Sabel ar ei ôl. Fel y gorweddai ar y tywod gwelodd fod y parsel yn pwyso yn erbyn coes y tŵr a'i waelod wedi suddo i'r pwll o ddŵr heli a gronnai yno'n wastadol.

* * *

Gwenodd P.C. Landeg arnynt. Ni welsai Sabel olwg mor glên arno o'r blaen. Ymgorfforiad o awdurdod a fu iddi hi erioed; er na allai beidio â meddwl y byddai dyn efo enw fel yna'n cael ambell ffit o chwerthin wrth weld ei hun yn y drych. Taenodd ei law helaeth yn awr dros y darn gwlyb o'r paced fel petai'n ceisio amcangyfrif y difrod.

'Fedrwch chi mo'i agor o i weld pa fath o olwg sy arno fo tu mewn?' llediodd Sabel.

Ysgydwodd ei ben. 'Daear, mae hwn yn stêt sicret. Wyddoch chi ddim fod 'na ryfel ymlaen, del bach?'

'Wyddoch chi i bwy i'w roid o?' gofynnodd Geini gan godi'i llais.

Roeddynt wedi mynd â'r llun i Sefton Villa gyntaf rhag ofn fod Karl yn digwydd bod yno. Ni chafwyd ateb ond rhoesant lythyr drwy'r drws, wedi ei sgrifennu yng Nglanrhyd, yn esbonio eu bod yn gadael y parsel efo P.C. Landeg.

'Mi wn i o'r gorau i ble mae o i fynd,' meddai'r cwnstabl gan sythu.

''Dach chi mewn cysylltiad efo Mr Karl Davies, felly?' gofynnodd Sabel.

'Pwy?' Cododd ei aeliau a phetruso am eiliad cyn pwyntio at boster ar y wal. 'Taw pia hi, genod bach.'

* * *

Daeth bore Llun â mesur o ryddhad i Sabel. Wrth daflu'i hun i waith ysgol unwaith eto gallai anghofio poen euogrwydd yn awr ac yn y man. Teimlai gweddill y giang yn orfoleddus. Y ddau ddyn yn y ddalfa yn rhywle a'r trysor o lun wedi'i achub; drygioni wedi colli'r dydd.

'*Wizard*!' oedd adwaith Sam pan glywodd yr hanes am adfer y darlun.

Roedd Penri yr un mor rasusol ac ni chlywodd Sabel air o ddannod. Cafodd Babs a Sam hwythau eu hawr fawr wrth ddod o hyd i'r tanc ar dir y Majestic Hotel. Aethant yno amser cinio ar y Sadwrn fel arfer i nôl eu tad a digwydd mynd yno o lan y môr ar hyd y dreif tywyll a arweiniai at y gwesty o gyfeiriad yr orsaf, yn hytrach nag o'r dref, lôn na ddefnyddid er dechrau'r Rhyfel oherwydd na ddeuai teithwyr rheilffordd i aros yno mwyach. Wrth ddod at dro yn y dreif dyna lle roedd o'n llechu dan y coed. Ond doedd dim sôn am Karl, a hynny oedd pryder Sabel. Ni allai ddeall pam nad oedd wedi anfon gair o ddiolch. Mae'n rhaid fod y darlun wedi ei niweidio y tu hwnt i unrhyw fynegiant o gwrteisi. Ac fel yr âi'r amser yn ei flaen daeth yn fwy a mwy argyhoeddedig o hyn.

* * *

'Mae Mr Landeg yn dod i fyny llwybr yr ardd,' gwaeddodd Mrs Felix yn gynhyrfus ryw wythnos yn ddiweddarach wrth gau llenni'r parlwr. Âi o gwmpas y tŷ'n gwneud hyn yn ofalus wrth iddi ddechrau nosi. 'Mi ddeudis i fod 'na rywbath, on'do?' meddai wrth ei gŵr. 'Mae'r hogan 'ma mewn rhyw fath o draffarth, coelia di fi. Mi rydw i wedi bod yn poeni'n ofnadwy amdani hi ers tro bellach. Dos di i'r drws, wnei di? Fedra i mo'i wynebu o.'

Clywyd cnoc go drwm.

'Noswaith dda, Mr Felix. Ga' i air efo chi fel teulu, os gwelwch yn dda? Wna i mo'ch cadw chi.'

'Â chroeso. Dowch i mewn i'r parlwr am funud, Mr Landeg *bach*.' Gwelsai wyneb ei ferch yn troi cyn wynned â'r galchen yn y lobi a cheisiodd, yn ofer, ei sirioli drwy roi pwyslais ar yr ansoddair anaddas.

'Mi ddo i'n syth at y pwynt,' dechreuodd y cwnstabl. 'Meddwl tybed oedd rhywun yma'n gwybod tipyn o hanes Mr Karl Davies?' Edrychai ar Sabel. 'Mi rydw i wedi bod eisio cysylltu ag o ers rhai dyddiau ar fater go bwysig.'

'Sabel?' meddai ei thad.

Suddodd ei chalon.

'Ia, dad?'

'Ti fuo'n siarad efo fo ddiwetha. Ar y ffôn. Ddeudodd o rywbeth pendant am 'i gynllunia wrthat ti?'

'Naddo,' atebodd a'i llais yn crygu, 'dim ond na fydda fo ddim yn dŵad am 'i wers Gymraeg efo chi.'

'O, mi roeddech chi'n 'i nabod o'n dda, felly, Mr Felix?'

'Oeddwn, mewn ffordd, ac yn 'i hoffi o, mae'n rhaid i mi ddeud, ond tipyn o ddirgelwch oedd o hefyd.'

'Byd fel 'na sy ohoni rŵan, yntê Mr Landeg?' ychwanegodd Mrs Felix. ''Dan ni yn y twllwch ymhob ystyr i'r gair.'

''Dach chi'n deud y gwir. Wel, does gen i ddim ond diolch i chi,' a dechreuodd bwyso ar freichiau'r gadair i godi.

Ni allai Sabel ddal yn rhagor. Roedd yn rhaid iddi wybod.

'Tydi o ddim wedi cael y parsal, felly?'

'Cael y parsel?' ailadroddodd yr heddwas.

'Ia,' meddai Sabel yn ddiamynedd. Gallai deimlo llygaid ei thad a'i mam arni.

'O, y parsel? O, mae hwnnw'n saff gan yr awdurdodau cywir. Diar mi, yndi. Dim ond 'y mod i eisio adrodd yn ôl i Mr Davies am y mater a chau'r ffeil. Wel,' meddai gan adfeddiannu'i hun 'taw pia hi, yntê gyfeillion?'

* * *

Gwyddai Sabel pan glywodd y drws yn cau fod yr awr wedi dod i gyfaddef y cyfan a daeth gollyngdod wrth gyffesu. Gan fod popeth drosodd a'r maen wedi ei yrru i'r wal, er mewn ffordd amherffaith, doedd dim diben cadw'r gyfrinach rhag ei rhieni mwyach. Derbyniodd y ddau'r stori'n rhyfeddol o dawel. Yn wir, tybiai iddi glywed ei mam yn mwmian canu wrth iddi fynd ar hyd y lobi i baratoi swper wedyn. Brysiodd ei thad ar ei hôl, yn esgus rhoi help llaw.

Mae'n debyg fod yna hen siarad yn y gegin, meddyliodd, ond roeddynt wedi cymryd y peth yn dda. Fedrech chi byth ddweud efo rhieni. Daliai i deimlo anesmwythyd am gyflwr y llun ond roedd wedi cadw'n ddistaw am hynny. Un o'r dyddiau nesaf, yn siŵr, fe ddeuai gair i'w goleuo. Eisteddodd mewn llonyddwch am yn hir. Y tu hwnt i'r llenni du clywai furmur y môr a sain prudd-lawen gwylan ar y traeth.

'Sabel,' clywodd ei mam yn galw, 'tyrd o'na, 'raur. Mae gin i dipyn o sgram i swper.'

PENNOD 14

'*Bon appétit*!' meddai Roli wrth ddechrau ar ei swper.

'Wedi troi'n llyffant eto, wyt ti, ar ôl bod adra yn Ffrainc dros y Dolig?'

Er mai lolian oedd Sabel roedd elfen o bryder yn ei chwestiwn. Wrth aros yng ngorsaf Penmarian yn gynharach y noson honno bu'n meddwl tybed a fyddai'r gwyliau gartref gyda'r teulu wedi gwneud iddo sylweddoli maint ei hiraeth. Y tro hwn cawsai arbed mynd cyn belled â Gatwick i'w gyfarfod gan fod ffrindiau i'r teulu yn digwydd bod yn teithio i Lanadda. Fel y dynesai'r trên ni allai lai nag ofni y byddai newydd-deb yr antur wedi pylu erbyn hyn. Byddai hi'n siomedig pe bai'i chynllun hi a Geini'n troi allan yn fethiant ac, at hynny, roedd yn mwynhau'i gwmni. Bu'r tymor cyn y Nadolig yn un hapus a chyfforddus, o leiaf tan y dyddiau olaf pan ddigwyddodd rhyw un neu ddau o bethau i darfu tipyn ar ei thawelwch meddwl. Ond pan neidiodd Roli allan o'r trên a rhoi cusan iddi ar bob boch diflannodd yr amheuon.

'Wel, wnest ti godi hiraeth ar dy nain am Benmarian? Tyrd o'na, estyn at y bwyd, 'ngwas i. Be oedd hi'n feddwl o'r llunia?'

Ar ddechrau'r hydref buont o gwmpas yn tynnu lluniau o bob peth yn gysylltiedig â stori'r Rhyfel: yr arwydd *Ar Werth* y tu allan i Lanrhyd, y merlod mynydd ger y Meini, yr ardal o gwmpas y chwarel. Hwnnw oedd y diwrnod mwyaf ysgytiol i Sabel pan aethant i Drelech a dringo o lawr y dyffryn yr holl ffordd i fyny at y chwarel.

'O, doeddet ti ddim yn 'i wneud e i gyd lan, felly?' roedd Roli wedi dweud wrth ddod ar draws y bont reilffordd yn y tro yn y ffordd.

Tynnodd Sabel lun ohono'n sefyll oddi tani ar y pafin bach solat hwnnw a osodwyd i'w hatgyfnerthu. Cawsant hwyl yn edrych am olion o'r crafu a chwarddodd y ddau pan sgrialodd Roli i fyny'r ochr a gweiddi, '*Let the air out of the tyres*!'

Rhyw sbort fel hyn a fu adrodd yr holl hanes wrtho. Hwyl, a rhyddhad rhyfedd hefyd.

Bu dod am y tro serth olaf at y chwarel yn siom. Rhedasai Roli o'i blaen a chlywai ef yn gweiddi bod y fynedfa'n dal yno. Oedd, mi oedd, ond edrychai'n bur wahanol. Yn lle'r dorau cryf, hen giât gloëdig o farrau haearn digon gwael yr olwg. Syllodd Roli a hithau drwyddynt ar y lefel yn troi am y tywyllwch tamp. Tameidiau o redyn yn tyfu o'r waliau a dŵr yn diferu'n swnllyd o'r to. Wrth eu traed pentyrrau o rwbel a darnau o offer rhydlyd, fel pe bai dim byd o bwys wedi digwydd yno erioed. Daliai'r lle i gadw'i gyfrinach, yn ôl ei arfer, drwy ymddangos mor ddi-lun. Atseiniai'r diferion o'r düwch fel pe baent yn gwneud ati i watwar: Pwy fyddai mor wirion â chadw dim byd yn fanna? Chwedl yw'r cyfan.

Ac uwchben, y gwylanod yn chwerthin ac yn crio.

Dyna'r pryd y trodd Roli ati a gofyn, 'Ydi hyn i gyd wedi bod fel albatros am dy wddw di, Sabel?'

'Nag 'di, ddim wir. Mae 'na'r fath beth â chil y meddwl, ysti, ond weithia mae rhywun fel ti yn dŵad i atgyfodi hen—Hei! wyt ti wedi bod yn darllan yr *Ancient Mariner* yn yr ysgol, 'ta be?'

Gwenodd Roli, a chodi'i ysgwyddau.

'Wel, yn y wir! Mae'n braf gwbod nag ydi popeth ddim yn newid yn yr hen fyd 'ma. Ond pam na ddaru ti ddim sôn?'

'Fydda i ddim yn dweud popeth wrthot ti, Sabel.'

* * *

'Wnest ti ddangos y llunia i Geini, debyg?' gofynnodd eto tra oedd Roli'n dal i fwyta.

'Do, ac fe ddaeth yr hen olwg pathetig 'na drosti. Bu bron i mi â dod â fy feiolin mas.'

'Chodwyd dim awydd arni i brynu Glanrhyd, 'ta?'

'Rhy hwyr, rhy hwyr!' meddai Roli gan gogio torri'i galon.

'Rhy hwyr? I symud yn ôl at 'i gwreiddia, wyt ti'n feddwl?'

'Nage.'

'Be, 'ta?'

'Wel, mae'n siŵr 'i fod e wedi'i werthu erbyn hyn.'

'Roli, wyt ti'n gwbod rhywbath na wn i ddim?'

'Dim ond meddwl, 'na i gyd.'

Edrychodd Sabel arno. Roedd yr olwg slei yna wedi dod yn ôl i'w wyneb fel cyn y Nadolig.

'Wel, tyrd, neu fydd 'na ddim codi arnat ti yn y bora. Mae dy ddillad ysgol di'n barod. Nôl at yr hen waith cartra 'na i mi eto.'

'Gwranda, dim ond unwaith, fwy neu lai, wnest ti fy helpu i'r tymor dwetha. Efo'r gynghanedd 'na, ti'n cofio? Chware teg, roedd e i gyd yn newydd i mi.'

Wrth gwrs ei bod yn cofio. Daethai Roli adref yn dweud iddo gael marciau llawn. Hithau'n gofyn beth a ddywedodd yr athro wrtho.

'Da iawn,' meddai Roli, yn ei ddynwared. 'Wnei di longyfarch dy fodryb ar hwnna? Mae'n rhoi ystyr newydd i *la plume de ma tante*.'

'Oedd o'n gas?'

'Nag oedd, ddim wir.'

'Ddeudist ti rywbath?'

'Dim ond dweud nad oeddet ti ddim yn perthyn i mi, diolch byth,' a symudodd yn gyflym allan o'i ffordd.

* * *

Un nos Wener, yn fuan ar ôl i'r ail dymor ddechrau, cododd Sabel gôt Roli, a oedd wedi ei thaflu ar draws y gadair fel y daeth i'r tŷ, i'w rhoi yng nghwpwrdd y lobi. Wrth ei hestyn at y bach daeth arogl diod ohoni. Digwyddasai hyn unwaith o'r blaen cyn y Nadolig a bu'n achos poen meddwl i Sabel bryd hynny ond ni wnaeth ddim ynglŷn ag o gan nad oedd yn rhy siŵr o'i phethau, nac yn rhy siŵr sut i drin y mater. Ond yn awr roedd yn rhaid gweithredu. Roedd y Bron erbyn hyn yn paratoi bwyd, ond tŷ tafarn oedd y lle, serch hynny, ac roedd Roli dan oed. Piti mawr fod yr hogyn drws nesaf yn hŷn nag o.

'Sabel, beth am fynd am dro pnawn yfory? Fuon ni ddim am dros ers amser,' meddai Roli o'r gegin.

Cymerodd hyn y gwynt o'i hwyliau. Arferai Roli fynd allan efo criw o ffrindiau ar Sadyrnau ers tro bellach ac felly roedd cais fel hyn yn annisgwyl.

'Iawn, Roli. Ble awn ni?'

'*Mystery tour*, Sabel.'

Rhoddai hyn amser iddi feddwl sut i ddatrys y broblem. Gallai gysgu drosto a chael digon o gyfle wrth fynd am dro i drafod yn ddoeth a phwyllog.

Prynhawn oer o Ionawr oedd hi. Rhoes Sabel esgidiau call am ei thraed er mwyn bod yn barod ar gyfer unrhywbeth, er y gwyddai na fedrent fynd yn bell iawn gan ei bod yn nosi'n gynnar. Roedd golwg gyffrous ar Roli fel pe bai'n edrych ymlaen yn arw at fynd allan. Daethai mor hoff o Benmarian, meddyliai Sabel. Piti fod yn rhaid siarad yn ddifrifol ag o.

Penderfynodd na fyddai'n dechrau arni'n syth bin; roedd angen dewis eich amser. Rhedodd y ddau i lawr llwybr yr ardd a brasgamu ar hyd lôn Bryn Glas i gael eu gwres. Tipyn o hwyl oedd taith ddirgel. Erbyn hyn roeddynt yn nesáu at y Stryd Fawr. Eisoes aethent heibio i'r Majestic a safle'r Luxor gynt. Anelodd Roli at Ffordd Mossbank. Unwaith y byddwn wedi mynd heibio i Lanrhyd mi ddechreua i, meddai Sabel wrthi'i hun. Mi fydd yn dawelach wedyn. Dyma ni wedi cyrraedd Sefton Villa yn barod, a'r giât yn edrych yn ddigon siabi. Fuo erioed fawr o lewyrch ar y lle. Yn wahanol i Lanrhyd. Bob tro yr âi heibio i fanno byddai'r dreif yn edrych yn gymen a'r giât wedi'i phaentio er na wyddai pwy fu'n byw yno er i'r Eltons ymadael flynyddoedd yn ôl. Efallai y byddai modd cael sbec arno'n awr os oedd yn dal ar werth.

Ond nid oedd. Roedd yr arwydd wedi mynd. Safai'r giât ar agor a synnodd weld Roli'n troi i mewn gan roi edrychiad henffasiwn arni wrth fynd.

'Dere 'mlaen, Sabel, i ni gael golwg ar yr hen le.'

'Ond ella fod rhywun wedi symud i mewn, Roli.'

Daethant at y tro yn y dreif. Roedd rhywun yn llusgo cist i'r tŷ. Dyn â het ddu am ei ben. Cychwynnodd yn ei hôl.

'Dere, Sabel!' mynnodd Roli.

Roedd y dyn yn dod tuag atynt. Dyn tenau, gwelw, yn dechrau tynnu ymlaen.

'Sabel?'

'Karl!'

* * *

'Roli a gafodd hyd i mi,' esboniodd Karl pan oeddynt yn eistedd ar focsys ynghanol anhrefn y mudo yn y parlwr.

'Roli?'

Rhoes Roli wên hunanfodlon ar y nenfwd.

'Wedi fy ngweld o gwmpas Glanrhyd cyn y Nadolig, yntê? A dechrau amau, yn enwedig pan gafodd gip arnaf yn y Bron, fo a'i ffrind, yn tynnu llun pensil o'r landlord.'

Troes Sabel i edrych ar Roli.

'Sylwi ar yr het ddu wnes i gynta,' meddai Roli.

'Nid yr un un yw hi, cofiwch!' meddai Karl. 'Yn ffodus, maent wedi dod yn ôl i'r ffasiwn.'

'Yn y Bron, ia?' meddai Sabel, gan ddal i edrych ar Roli.

'Dychmygwch fy syndod neithiwr, Sabel,' meddai Karl, 'pan ddaeth i mewn yno wrth i mi gael tamaid o swper a gofyn imi'n blaen ai fi oeddwn i. Ac wedi hynny buom yn cynllwynio hyn i gyd. Mae'n gystal ditectif â chithau erstalwm!'

Cododd Sabel a mynd at y ffenestr. Trwy hon y gwelodd Mrs Elton gyntaf wrth y piano. Chwiliodd am y goeden ond nid oedd golwg ohoni. Wel, fe fu Roli'n fwy llwyddiannus na fi, meddyliodd.

'Oeddach chi'n flin iawn wrtha i am be wnes i?' Trodd i wynebu Karl a sylwi bod Roli wedi diflannu.

'Synnais eich bod yn gwybod cymaint, dyna i gyd,' meddai Karl.

'Na, ynglŷn â'r paentiad?'

'Y paentiad? Ynglŷn â'r paentiad? Fe gafwyd hyd iddo. Fe wyddech hynny?'

'Wrth gwrs. Ond pam na ddaethoch chi ddim i gysylltiad â'r un ohonon ni wedyn? Oherwydd be wnes i?'

Crychodd ei dalcen.

Dyna fo eto, meddyliodd Sabel. Tydi o ddim eisiau dangos ei fod yn deall. Mae'r wal yn cael ei chodi rhyngom ni eto. Trodd yn ôl i edrych drwy'r ffenestr. Cododd ei llaw ar Roli a oedd wedi mynd i chwilota yn yr ardd.

'Wnaethoch chi ddim symud o'ch cynefin felly, Sabel?'

Troi'r stori eto. Iawn. Mi awn ni ymlaen i siarad yn gwrtais a ffurfiol.

'Hwnt ac yma rywfaint ac yna dod yn ôl a phrynu'r hen gartra. Be amdanoch chi? Aros yn Llundain?'

'Ia. Fûm i ddim yn crwydro llawer ar ôl Canada.'

'Canada?'

'Ia, dyna pam na fedrwn i ddim cysylltu â neb ym Mhenmarian.'

'Felly . . . glywsoch chi ddim am . . . am y—?'

'O do, clywais fod y darlun yn ddiogel ac yn lwcus clywed cymaint â hynny, mae'n debyg, ar ôl cael fy arestio.'

'Arestio! . . . Am be?' Teimlodd Sabel yr hen ofnau'n dychwelyd.

'Oherwydd y *torch* oedd i'w gweld yn fy mhoced. Wn i ddim welsoch chi fy nghyd-weithiwr barfog erioed? Es i'r chwarel ar ôl y lladrad i drafod y sefyllfa gydag o ac wrth gerdded tua'i lety y noson honno cawsom ein harestio, y ddau ohonom ni.'

'Dim ond am gario *torch*?'

'Ia, a'n bod yn siarad Almaeneg ar y pryd, mae'n debyg. Ffoadur o'r Almaen oedd o, ac yn haws ganddo siarad Almaeneg na dim arall. Sut bynnag, penderfynodd yr Awdurdodau ein bod yn estroniaid peryglus a bod yn rhaid ein halltudio i Canada ar unwaith. Roeddynt yn fwy drwgdybus na chi, hyd yn oed!'

Gwridodd Sabel. 'Fedrwn i ddim deall be oeddach chi'n neud.'

'Rhywbeth digon diniwed. Dechrau ar y gwaith o lanhau'r darluniau. Cawsant i gyd eu glanhau yma yng Nghymru, wyddoch chi. Edrychent yn ddigon o ryfeddod pan es i'n ôl i weithio yn yr Oriel wedi'r rhyfel.'

Disgleiriodd llygaid Sabel am funud wrth feddwl am hynny —y lluniau'n dod allan ar eu newydd wedd o'r tywyllwch.

'Ia, ond nid dyna oeddwn i'n 'i olygu gynna. Wyddwn i ddim yn iawn ar ba ochor oeddach chi.'

'Gwyddwn innau hynny'n iawn. Pan aethoch chi allan o gegin Sefton Villa ar frys y diwrnod hwnnw roedd fel pe bawn i'n gweld *Heil, Hitler*! yn dod allan mewn swigen o'ch talcen chi!'

Gwenodd Sabel wrth gofio. 'Ia, rhywbeth ynglŷn â Hitler oedd o. Wyddwn i ddim be i neud ohonach chi. Dyna be rydw i'n 'i hoffi am y paentiad; mi fedrwch chi weld cefnau'r ddau yn y drych. 'Dach chi'n gweld y personau cyfa, fel petai, ac nid un ochor iddyn nhw.'

'Fe wyddech pa ddarlun oedd o, felly? A! Rwy'n meddwl y gwn i sut,' a gwenodd.

Nodiodd Sabel ei phen. 'Ia, a'i astudio'n fwy manwl nag o'r goedan wedi hynny drwy ddarllen amdano.'

'Ac, ar ôl y Rhyfel, gweld y gwreiddiol unwaith eto yn yr Oriel, wrth gwrs.'

'Y . . . ia.' Roedd yn falch nad oedd Roli yno ar y pryd.

'Wel, beth am gwpanaid o de?' gofynnodd Karl.

Aethant drwodd i'r gegin ond roedd Roli wedi achub y blaen arnynt ac wedi cael hyd i'r tegell.

'Y'ch chi'n un arall o *fans* Penmarian, felly, Mr Davies?' gofynnodd Roli.

'O, "Karl", plîs. Ydw, wir, Roli, byth ers pan ddes i yma yn yr haf cyn i'r Rhyfel dorri allan i gymryd gofal o luniau'r Oriel. Roedd hynny pan oeddynt yng Ngholeg Llanadda a Chastell Penrhyn, cyn eu rhoi mewn lle mwy diogel pan ddechreuodd y bomio.'

'Ac fe gadwon yn iawn yn y chwarel drwy'r rhyfel?' gofynnodd Roli.

'Yn rhagorol. Fe gymeron nhw at ogledd Cymru, fel finnau. Ac fe ddysgon ni lawer yma hefyd. Dyddiau'r chwarel wnaeth i ni ddechrau meddwl am reoli'r tymheredd yn yr Oriel ar ôl mynd â'r lluniau'n ôl i Lundain. Mae'r Galeri'n ddihangfa braf ar ddiwrnod poeth, ydech chi wedi sylwi?'

Gwenodd Roli ar Sabel.

Estynnodd Karl y tebot o'r cwpwrdd a'i roi i Roli.

'Dyma chi. A chofiwch ei gynhesu o gynta!'